JAIME BA

EL MIEDO A LOS HIJOS

JAIME BARYLKO

EL MIEDO A LOS HIJOS

EMECÉ EDITORES

Diseño de tapa: *Eduardo Ruiz*
Foto de tapa: Four By Five
© *Emecé Editores, S.A., 1992.*
Alsina 2062 - Buenos Aires, Argentina.
Ediciones anteriores: 47.000 ejemplares.
9ª impresión: 10.000 ejemplares.
Impreso en Compañía Impresora Argentina S. A.,
Alsina 2041/49, Buenos Aires, marzo de 1994.

IMPRESO EN LA ARGENTINA / PRINTED IN ARGENTINA
Queda hecho el depósito que previene la ley 11.723.
I.S.B.N.: 950-04-1223-3
23.432

I. Con los ladrillos en la mano*

* Este capítulo ha sido publicado parcialmente en el diario *La Nación* del martes 8 de enero de 1991.

1. Con los ladrillos en la mano

La carta que falta

Un día escribió Kafka una carta al padre asestándole duros golpes. Después se publicó y fue fervorosamente aplaudida. En ese clima nos criamos, en el de los padres culpables y el de los hijos absueltos, *a priori*.

Y es cierto, los padres son culpables, culpables de hacerse culpables. Culpables del miedo, el miedo a los hijos. Culpables de usar el miedo para eludir responsabilidades de educación, decisión, formación en valores. Culpables de no ser padres o de serlo únicamente a la defensiva, pidiendo perdón, solicitando un mendrugo de caridad comunicativa, comprendiendo demasiado cuando no comprenden nada.

Kafka tenía suerte: tenía padre, tenía contra quién rebelarse, a quién escribirle una carta.

> "Eras tan gigantesco en todo sentido, ¿qué importancia podía tener para ti nuestra compasión o nuestra ayuda?"

Así era entonces; padres gigantescos que aplastaban a sus hijos con el autoritarismo de su mera presencia.

Evolucionamos hacia la igualdad. Nadie es gigante, nadie es enano. Para no ser culpables, los padres piden indulgencia e inclusive suplican que los hijos los críen a ellos.

Por miedo a ser gigantescos y represores, los padres se retiran de la escena y dejan a los hijos solos, explicándoles

9

que anhelan que se desarrollen en libertad.

No se desarrollan en libertad: crecen en el vacío.

Los jóvenes siempre tienen razón. Y, sin embargo, no son felices. Porque tener razón es confrontarla con alguien, pero tenerla en el vacío es sentirse desnudo y desvalido.

Ser hijo es enfrentarse con padres; ser joven es enfrentarse con gente que no lo es y que, por tanto, piensa diferente. Si tal enfrentamiento no sucede, no hay crecimiento. El padre que se abstiene no respeta a su hijo; simplemente da vuelta la cabeza y mira en otro sentido y cree que de esa manera es moderno.

Por cierto que esto de la culpa es juego. Nadie es culpable a menos que le convenga.

El miedo a educar, a dejar huellas en las tiernas almas infantiles, a marcarlos indeleblemente, es buena excusa para hacerse amigo del hijo.

Así se logra cierta uniformidad cósmica en la que todos son hijos, con el mismo ruido en los oídos, las mismas expresiones en la boca, en el mismo gimnasio de la juventud.

Georges Suffert en su libro *Carta abierta a los jóvenes de veinte años a quienes se miente* les habla a los padres:

"¿Qué esperaban de ustedes? Esto simplemente: que fueran ustedes mismos que contasen sus historias de oficina, que hablaran de dinero cuando les faltaba, que dijesen sí cuando les parecía razonable, que supieran decir no...

...Sus hijos necesitaban un padre y una madre. Ni más ni menos. Nada de compañeros entrecanos...

La obcecada voluntad de escapar a su edad, de seguir siendo jóvenes, de ser de su tiempo, los transformó, para sus hijos, en zombies."

Los absolvemos para que nos absuelvan.

Los comprendemos para que nos comprendan.

Todos somos iguales, decimos y, a tal efecto, nos vestimos con sus ropas. Estar al día es el lema de todo buen padre.

Y si el chico tiene problemas, corremos al especialista. Somos humildes: enseguida le entregamos el hijo a otro, que sabe más, para que se ocupe de él y nos ayude a hacerlo feliz.

Además, ¿no sufrimos también nosotros del trauma de nacimiento? ¿De nuestros tempranos complejos, nadie se apiada? Para sentirnos totalmente iguales y nada castradores, a los hijos que vienen a contarnos sus cosas los sentamos en los sillones del living y les contamos nuestros tristes recuerdos de frustraciones, para que no se sientan solos. Somos amigos.

Y somos culpables. Una nube de culpabilidad difusa cubre el planeta.

Si todos somos culpables, nadie es responsable.

Todos debemos perdonarnos.

El vacío es esa ausencia de responsabilidad.

Kafka, en su memorable carta, escribe:

"Por fortuna hubo también momentos de excepción."

Es decir, momentos de felicidad con el padre.

La dicha está compuesta de momentos de excepción. Es cuando la culpa desaparece. Cuando dejamos de plantearnos falsas encrucijadas y nos atrevemos a vivir, a amar, a acariciar, a gritar, a decir lo que realmente pensamos, a dejar de comprender todo, a sonreír únicamente cuando la sonrisa proviene de las profundidades del ser.

"Por fortuna hubo también momentos de excepción."

11

Elogio de la imperfección

Traer hijos al mundo no es natural, como tampoco es natural casarse.

Lo natural es aquello que sucede sin consultar nuestra voluntad. El apareamiento de los animales, la fecundación de las especies, son naturales porque tienen un ritmo de acontecimiento que une a los seres y los hace funcionar dentro de un programa prefijado.

La naturaleza es un programa cíclico dentro del cual los individuos se comportan como puentes, sectores, engranajes para que el programa se cumpla.

En la naturaleza los seres son todos perfectos. ¿Qué significa perfecto? En su origen latino ese vocablo designa lo hecho, completado, terminado.

Nace el tigre y al poco tiempo es todo lo tigre que un tigre puede ser.

Nace el cervatillo y al poco tiempo es todo lo cervatillo que un cervatillo puede ser.

Eso es ser perfecto. La perspectiva de que el segundo sea perseguido, apresado y devorado por el primero, es natural; como su opción contraria, la de huir, salvarse.

No eligen. No quieren. Son.

Contemplamos la naturaleza y le proyectamos nuestros propios valores; hablamos de animales tiernos como padres, hijos, parejas, caricias, dulzuras. Son nuestros ensueños antropomórficos lo que ahí vemos.

Ellos no traen hijos al mundo. Procrean. Copulan. Paren crías. Y con ellas hacen lo que su programa genético les ordena.

A veces decimos, románticamente, que quisiéramos ser libres como los pájaros.

En la naturaleza no hay libertad.

Los pájaros no son libres. Volar no es una voluntad, es parte del programa ser-pájaro.

Nosotros en cambio somos imperfectos. No estamos del todo hechos. Por eso disponemos de libertad.

12

Aunque tenemos nuestras limitaciones. Algunas son de orden natural: el cuerpo, el sexo, los genes de cada uno, las tendencias, los talentos... Otras de orden social, familiar, económico, racial, geográfico.

Es poco lo que podemos elegir. Pero ese poco es mucho y de él depende el sentido de la existencia.

Creemos en cosas que no están en la naturaleza.

Creemos en valores. Tenemos principios, ideas, finalidades. Cuando el hombre se levantó sobre sus patas traseras y liberó las delanteras comenzó a ver el mundo, a tomar distancia, y de esa manera pudo preguntarse qué soy yo y qué es lo otro que está frente a mí.

Eso es ser hombre: tener mundo, además de estar en el mundo. No, traer hijos al mundo no es natural; es sobrenatural, es la naturaleza y *algo más*.

Amor y pedagogía

La autoridad ya no la tienen los padres ni los ancianos ni los sacerdotes ni la religión. Ahora gobierna la ciencia.

¿Qué debemos hacer cuando nada debemos hacer? Obrar científicamente.

Eso ya lo había previsto el viejo Platón: los padres no están dotados para ser científicamente padres y, en consecuencia, es mejor que no ejerzan esa profesión, que la deleguen en los científicos de la crianza.

Se dijo que Platón era un totalitario y que nos privaba de la libertad de educar.

Ahora estamos en un dilema: queremos ser padres, queremos ser amantes, y queremos hacerlo todo en consonancia con lo que indica la ciencia.

La perplejidad nos acorrala: hasta el amor está regulado por los especialistas de los medios masivos de comunicación. Todos nos dicen qué hacer, cómo hacer, cuándo hacer.

Luego, cuando nos encontramos en casa con nuestros

hijos, sentimos que estamos desnudos: tenemos miedo de amar, miedo de educar, miedo de hablar, miedo de actuar.

Miles de ojos nos miran y nos dicen ¡cuidado!

Miguel de Unamuno escribió una novela, *Amor y Pedagogía*. Trata la historia de un hombre que decide procrear un hijo y educarlo científicamente, y de este modo conducirlo a la verdadera felicidad.

Avito, el protagonista, elige a la futura madre de su hijo. Todo debe ser meticulosamente calculado, racionalmente graduado. Nace el hijo y hay que darle nombre. Uno podría ser Teodoro, "regalo de Dios". Avito no cree en Dios y por eso prefiere Apolodoro, "regalo de Apolo". Apolo simboliza la belleza, la razón, la naturaleza, la perfección.

Un padre científico programa un hijo perfecto.

El padre encuentra un maestro para su engendro; es Fulgencio, filósofo estrambótico con quien mantiene diálogos supremamente sutiles.

Fulgencio sostiene que la vida es un teatro, que "nos tiran de los hilos cuando creemos obrar... recitamos el papel aprendido allá, en las tinieblas de la inconciencia, en nuestra tenebrosa preexistencia..."

Avito no admite esta metafísica. Para él todo lo que hay es el aquí, ahora, y el mañana que desde este ahora se incuba a través de un aprendizaje bien calibrado.

Pero Fulgencio continúa con su discurso:

"—Por la morcilla sobreviviremos los que sobrevivamos. No hay en la vida toda de cada hombre más que un momento, sólo un momento de libertad..."

La libertad, explica, es zafarse del libreto. Y a eso le dicen "morcilla" en la jerga del teatro, eso que el actor introduce en el discurso por su propia cuenta, cuando elude u olvida el libreto.

14

"—¡La morcilla! Hay que espiar su hora, prepararla, vigilarla, y cuando llega meterla, meter nuestra morcilla, más o menos larga, en el recitado..."

¿Qué es la educación, por tanto? Preparar a los niños para que, llegado el momento, puedan deslizar su morcilla propia en un discurso siempre ajeno.

Claro que mientras el padre y Fulgencio meditan en buceos analíticos, la madre se encierra con el hijo y se dedica a besarlo, a mimarlo. Ella rechaza el nombre Apolodoro. ¡Para ella es Luisito!

"En estas furtivas entrevistas le habla de la madre de Dios, de la Virgen, de Cristo, de los ángeles y de los santos, de la gloria y del infierno, enseñándole a rezar."

El chico crece, sale a la calle, tiene amiguitos, va a la escuela. Todo eso es corrupción, visto desde aquel ángulo de la ciencia, puesto que se llena de cuentos, de mitos, de historias. El padre sufre horrores ante tanto desvío didáctico.

No todo sale según lo previsto, y he aquí que la mamá de Apolodoro se embaraza y da a luz una niña. Avito considera esa aparición una molestia para sus planes pedagógicos. En consecuencia se dedica exclusivamente a su hijo, y deja que la nena crezca azarosamente en las manos maternas.

Rosita se llama la niña, nombre vulgar para una cría vulgar. No le es útil al padre para sus experimentos pedagógicos; éstos se aplican sólo a los varones que, en lenguaje aristotélico, dice Avito, son la *forma*, mientras que lo femenino es solamente *materia*, inexistente sin la forma, caduca, miserable.

El hecho es que Apolodoro se desarrolla en cuerpo, en alma, con la ciencia pedagógica por un lado, la vida real llena de contrastes por otro y, de repente, cae en una situación que la pedagogía no había previsto: el amor. Se enamora de Clarita. El padre se entera y siente una infinita frustración:

> "El amor, siempre el amor atravesándose en el sendero de las grandes empresas. ¡Qué de tiempo no ha hecho perder a la humanidad ese dichoso amor!"

El amor es un desastre. Al menos para la pedagogía, para la ciencia que prevé todos los acontecimientos y conoce sus leyes, eternas, idénticas siempre.

El amor es paradoja, contradicción, irracionalidad.

El amor es lo más que tiene el yo y, sin embargo, parece una fuerza ajena que lo arrastra a uno como vendaval, y uno se torna, enajenado, en esa confrontación de poseer *versus* ser poseído.

Apolodoro espera ser amado, y no lo es. Entonces se revuelca en un mar de pasiones, sufrimientos, estrellas, zozobras, y la pedagogía está más lejos que nunca.

El sabio de don Fulgencio, consultado por don Avito, aconseja:

> "Déjele que adquiera la experiencia del amor, y como el amor no da fruto de ciencia más que muerto, como el grano de que la Buena Nueva nos habla, déjale que se le muera. Necesita desengaños para que aprenda a conocer el mundo..."

La ciencia es siempre fruto de una semilla que ha muerto. Si la semilla no muere, dice el Evangelio, no crecerá árbol alguno, tampoco el de la ciencia.

La ciencia es conocimiento de lo inmutable; la pasión es movimiento y cambio. Que muera la segunda y nacerá la primera. La ciencia, que es conciencia, nace después de la vida, cuando se mira atrás y se ve el camino recorrido, al decir de Machado. La alternativa se vuelve clara:

Amor o pedagogía
Vida o ciencia.

El que vive puede practicar la ciencia, pero no se vive científicamente. Es científico en su gabinete, en su probeta, en sus libros. En el contacto con otros hombres sucumbe a la vorágine de los sentimientos, la irracionalidad de lo imprevisible.

Porque no está solo, porque están los otros y, aun si pudiera manejar sus propias conductas a conciencia, no puede regular los comportamientos de los otros, que inciden sobre él y lo hacen reaccionar.

Somos imprevistos. Padres, esposos, hijos, hermanos. Porque somos otros, de otros.

El amor no se ordena. Por eso las Escrituras nunca dijeron amarás a tus hijos o amarás a tus padres o amarás a tu esposa.

No hay mandamiento para el mundo de las pasiones.

Por eso se llaman pasiones: se padecen. Yo soy mi pasión, pero soy de ella.

No, la vida no es programable, y menos la de un hijo.

Clarita no ama a Apolodoro que ama a Clarita. Esa ciencia la descubre Apolodoro solo. El grano muere y la ciencia aparece a partir de la propia experiencia. Avito quería un genio. Fracasó. Logró un hijo desdichado. Ahora hace el balance y dice:

> "El genio nace y no se hace… Al engendrar al genio pierden conciencia sus padres; sólo los que la pierden al amarse, los que como en un sueño se aman, sin sombra de vigilia engendran genios… El que sabe lo que hace cuando hace un hijo, no le hará genio."

Al genio lo hace el amor, acendrado, absoluto. La inconciencia. El que deja de saber.

El final, obviamente, es triste. Apolodoro se quita la

vida, esa vida que no tiene, condenada por el exceso de pedagogía y la ausencia de amor. Es una parábola.

Y cuando el hijo muere —cuando la semilla muere— brota para el padre la ciencia, el conocimiento, justamente de aquello que hasta ahora no conocía, el del amor.

Por primera vez pronuncia Avito la fórmula:

"¡Hijo mío!"

Nunca había dicho *mío*. Deseaba que fuera Apolodoro el hombre, el sabio, el producto de una ciencia desvinculada de sentimientos. Traer un hijo al mundo era, para Avito, producir una combinación química de elementos, y no más. Ser padre significaba tomar ese engendro y moldearlo objetivamente hacia lo universal de las ideas.

Al perderlo lo encontró.

Ahora se ha vuelto "hijo mío", con todo el posesivo que el amor implica. Y la esposa, la madre, se deslumbra ante tamaña transformación de Avito. Lo abraza, lo besa. El que dijo "mío" es un sujeto amante que merece ser amado.

"¡Madre! —gimió desde sus honduras insondables el pobre pedagogo y cayó desfallecido en brazos de la mujer.
"El amor había vencido."

El amor vence siempre. Y nunca es tarde.

Los rituales de la vida

El siglo XX quiso reivindicar las libertades del hombre oprimidas por una cultura asentada en valores que condenaban todo placer, particularmente las delicias de la carne.

Muchas cadenas se rompieron entonces. La vida sexual apareció en el centro del escenario; se hicieron múltiples encuestas, el informe Kinsey, el informe Hite; se divulgaron los anticonceptivos; el pavor virginal fue desapareciendo y surgió la rebelde cultura del orgasmo.

Sexo se ha vuelto el término clave en todos los órdenes del diálogo acerca de la vida y sus valores.

No sabemos si hay más o menos orgasmos que en el siglo XIX. Sabemos en cambio que cuanto más se habla de sexo, de educación sexual y de los problemas de la pareja erótica, tanto más crece la angustia, la insatisfacción.

El otro es alguien. Y aunque yo lo trate como algo, sé, en el fondo de mi ser, que es alguien.

Y porque es alguien me importa, me significa.

El universo de la relación humana es infinito, porque no estamos totalmente hechos y eso nos permite albergar y cultivar mensajes contradictorios.

Si mis contradicciones se cruzan con tus contradicciones y hacen contacto en algún punto, nos hacemos pareja.

Amigos, novios, amantes, esposos, todas son categorías de relación humana. Una relación por la cual optamos. Y ahí nace, entre nosotros, el ritual que suplanta a la naturaleza.

El beso es un ritual.

Apelamos al ritual para expresar nuestra relación. De esa manera nos insertamos en algo que no es naturaleza, sino tradición. El beso es tan tradición y tan ritual como el anillo que coloco en tu dedo, como la jovialidad de tu padre que me recibe en el living-comedor, y los ojos empañados de llanto y felicidad de tu madre y el resto de tus hermanitos, cómplices laterales, que intentan "portarse bien".

Nos casamos. Así se estila en tribus, comunidades, aldeas, sociedades. Es el ritual de la pareja que se constituye y considera que su relación es *algo más* que un accidente pasajero.

Cuando a esa pareja le nace la cría, la llamamos hijo y

los progenitores se convierten en padres.

Casarse. ¿Cómo hacer el festejo, qué ropa lucir, cómo saludar a los amigos, cómo abrir los regalos, cómo llevar la esposa a la alcoba, cómo tratarla la primera noche, cómo y dónde festejar la luna de miel?

Todo eso y muchos detalles más forman parte de un ritual establecido y aprendido. Sabemos hacerlo.

Una vez casados, en cambio, ¿cómo comportarse y tener encendido el fuego del hogar? Eso cada vez se sabe menos.

En la sociedad cerrada y autoritaria de tiempos idos se sabía todo, desde el comienzo hasta el final. La ritualización de la vida era entonces casi absoluta.

Yo de niño sabía cómo comportarme con tías, tíos y primos. Debía escribirles, al menos para año nuevo, a mis primas que vivían en el interior. Hasta el día de hoy mamá me reprocha ciertas actitudes irrespetuosas frente a los parientes. Cómo puedo ser yo tan irreverente ante mis primos, se lamenta mi madre.

Antes de que se rompieran las cadenas, cada uno, cada gesto, cada relación, cada actitud, tenía un puesto en el cosmos.

Retorno a mi infancia y evoco la escuela. El orden. La disciplina. Los valores absolutos del maestro, del director, de la bandera, de la escarapela, del libro.

Entremos a clase. Ahí tenemos libros y cuadernos meticulosamente forrados, etiquetados. Los cuadernos son mínimamente dos. Uno se llama cuaderno borrador, el otro es algo así como un santuario, es el cuaderno de clase. En el borrador, como su nombre lo indica, se puede borrar. Es para ejercitarse. Ahí se ensayan cuentas y escrituras. Luego se las pasa, ya definitivamente para la eternidad, al cuaderno que debe brillar, de pulcritud. Los manchones de tinta son una hecatombe. Está prohibido borrar. Ése es el santuario. Ahí ingresa solamente el maestro, la maestra, y estampa su clasificación (primero nos clasificaban; después aprendieron a calificarnos), en azul o en rojo, para ascender al paraíso de la buena nota, o caer en el indeleble infierno de la nota catastrófica.

Y los guardapolvos. Y el almidón. Y los moños de las niñas. Y el calzado lustrado. Y las orejas limpias.

En *El muro*, con Pink Floyd, se acumulan las tintas negativas sobre ese régimen autoritario. También muestra el filme cómo destruir aquellos bancos enfilados, aquellos muros de cruel prisión. Y más no nos muestra.

Nos quedamos con los ladrillos en la mano.

Y la mirada vacía.

Y ahora que somos libres, ¿qué debemos hacer?

Desaparecieron los guardapolvos almidonados, los cuadernos de primorosa estética, las maestras castradoras, los padres omnipotentes. Pero, a decir verdad, los cimientos de aquellos muros permanecen, invisibles, como todos los cimientos.

Las apariencias engañan: no hay látigo pero las notas, o calificaciones, o evaluaciones, siguen adulando a unos y marcando a otros. Bajo las melenas al viento esparcidas, la informalidad de blusas y jeans agujereados de fábrica, bajo todo ese chisporroteo de libertad, sigue vigente el régimen de *El muro*:

Los que llegan —al título, al éxito— son los que valen, los buenos.

Los otros, seguramente tuvieron problemas en sus casas.

"Estoy cansado de mí mismo"

De la familia grande pasamos a la familia nuclear, al tú

21

y yo solos.

Nos quedamos solos, modernamente solos.

Seremos libres, nos respetaremos, porque cada uno es él mismo, ella misma.

Sabemos el discurso, lo que no sabemos es cómo se hace, porque en el fondo sigue operando el viejo motor. Queremos estar unidos con nuestra propia argamasa. Pero los ladrillos son de antes.

Los ladrillos de antes estaban integrados dentro de un muro que los apretaba y así los sostenía. La presión exterior los emparejaba.

Era un orden, una disciplina, una organización.

Irónicamente, describe Bertold Brecht el pasado mundo y su ordenamiento sistemático:

"El todopoderoso con don creador
dar vueltas a la Tierra al sol ordenó.
Y una lámpara a su vientre colgó
para que girara como un buen servidor
Porque era su deseo ferviente
que en torno al señor se afanara el sirviente
y entonces los pobres menesterosos
en torno a los poderosos comenzaron a girar.
Y en torno al Papa giraban los cardenales
y en torno al cardenal giraban los arzobispos
y en torno al arzobispo
giraban los sacristanes."

Vino Galileo y trastrocó *ese* orden. Todo empezó a girar en torno del sol. Y así se hizo un nuevo orden... De modo que, en definitiva, no hubo cambio esencial. El miedo a perderlo todo era grande; pero rápidamente fue subsanado por el ingenio humano que, siempre *sobre algún eje indudable,* es capaz de generar otras estructuras concéntricas.

Vale la metáfora para entender que en nuestro siglo nos hemos quedado a mitad de camino: salimos a la libertad,

22

pero no ingresamos aún a la tierra prometida.

A falta de fines, el medio se ha vuelto también el fin.

Nos hemos liberado de parentescos agobiadores, de represiones intergeneracionales y la pareja por fin está sola.

Sola. Feliz.

Y luego angustiada. Con miedo. ¿Qué se hace ahora? ¿Qué se ha de hacer para mantenerse a la altura de la libertad, de la personalidad?

Debemos inventar el quehacer de cada uno. Ninguna autoridad puede ayudarnos. El hombre puede lavar platos, la mujer puede ser arquitecta. Las prisiones de las definiciones de lo masculino y de lo femenino y de sus respectivas tareas naturales han caducado.

Nadie nació para algo. Todos nacimos para todo.

Miro a mi esposa: ¿qué debo esperar de ella?

¿Qué debe esperar ella de mí?

Nada. Amor. Afecto. Apoyo. Ayudar a ser. Compartir. Nada. Todo.

Sabemos decirlo. Sabemos escribirlo. De novios esculpíamos corazones en los árboles, siglas en la arena de la playa.

Estamos solos. Tenemos miedo. A menudo huimos con los amigos al cine, al teatro, al café, a una reunión. Son reuniones de parejas solas que no quieren ser parejas solas. Disfrutar significa "salir". Salir significa irse de casa. Evadirse, huir. Salir equivale a divertirse.

A comienzos de siglo escribía Bernard Shaw esta escena:

"ELLA:
—A veces estás sentado horas y horas meditando sombríamente en silencio y odias en el fondo de tu corazón. Cuando te pregunto qué te he hecho dices que no estabas pensando en mí, sino en el horror de tener que estar aquí conmigo para siempre.

23

ÉL:

—Tú me gustas, pero yo no me aguanto a mí mismo. Quiero ser distintos roles, mejor, empezar una y otra vez, desprenderme de mi piel como se desprende la serpiente de la suya. Estoy cansado de mí mismo... ¿Nunca piensas en eso?

ELLA:

—No, no pienso en mí misma. ¿Para qué? Soy la que soy, y nadie puede cambiarme. Yo pienso en ti.

ÉL:

—No deberías pensar en mí. Siempre estás espiando. Nunca puedo estar solo. Quieres saber lo que he estado haciendo. Eso es una carga. Procura tener tu propia existencia en vez de ocuparte de la mía."

Se tienen entre sí. Sin otros. Solos. Ahí brota el dramático diálogo. Mirándose, espiándose, analizándose, hurgándose, persiguiéndose.

No podemos compartirnos; solamente podemos compartir algo, un proyecto en común, alguna manera de ser, que en griego antiguo se llamaba *ethos* y que produce el vocablo ética, o en latín moral, que significan costumbres.

Somos iguales. Y solos.

Es la libertad, la igualdad, la fraternidad. Pero ahora están en mi casa.

Yo y mi ombligo

A veces nos quedamos de sobremesa, nosotros y nuestros hijos, charlando amablemente, en vera conjunción espiritual. Pero nadie se levanta a quitar los platos de la mesa.

Nadie quiere ser esclavo de nadie. Nos turnamos, pero no con suficiente rigor. ¿Hoy a quién le toca? El silencio retumba bajo las palabras. Hay que seguir hablando de algo para no hablar de "eso".

Los personajes de Bernard Shaw se aman pero no toleran estar juntos, solos, *solamente juntos*, siendo uno el sujeto del otro, el objeto del otro, el horizonte del otro.

Estamos nosotros, y nos contemplamos el ombligo. Cuando Descartes decía "pienso, por lo tanto existo", sabía qué hacer con el "pienso" y qué con el "existo". Estaba edificando un mundo.

El nuestro está hecho de fragmentos deshilachados; restos de tradiciones, ganas de rebeliones, y una libertad que no se sabe crear sus propios objetivos; porque nos educaron a ser libres, a romper cadenas, pero nadie nos dijo qué se hace luego con el hierro de aquellas cadenas, y qué nuevas formas han de regir nuestra existencia, qué inéditos rituales hemos de compartir.

Sin rituales no sabemos vivir, porque somos hombres, humanos, simbólicos.

Entonces tenemos miedo. El miedo de la indecisión. El miedo de la apremiante necesidad de que mis hijos sean felices, sean libres de culpa, sean ellos mismos.

No sabemos a qué atenernos. Lo único claro es el ombligo. Yo soy yo y mi ombligo.

Por eso me analizo. Yo solo, frente a un extraño. Yo y mis recuerdos, mis frustraciones, mi mamá, mi papá, mis expectativas, mis novias, mi necesidad de ser amado.

Pero siempre yo conmigo.

Después me digo: con los problemas que yo tengo, ¿cómo puedo dedicarme a otro?

Después me digo: con todos mis conflictos, ¿cómo puedo esperar que mi nena no salga conflictuada?

Nos vamos, así, encapsulando.

Nosotros, los padres, somos el mensaje. Nosotros, los papás y las mamás, somos los medios transmisores. ¿Y qué trasmitimos? Muchas cosas, muchos discursos, pero antes y después de todo trasmitimos mera presencia, existencia, perplejidad, y miedos, muchos miedos.

Las premisas de la modernidad han de ser revisadas y todos sus prejuicios racionalistas, programadores en dirección de la eficiencia como meta suprema.

Descartes dudó de todo para establecer un nuevo patrón de la verdad.

A nosotros nos toca dudar de Descartes y de sus conclusiones que nos han conducido a esta crisis de una racionalidad totalmente focalizada en la tecnología, en el marco de una vida desencantada, porque *sabemos cómo ir, pero no sabemos a dónde ir*. William Blake contemplaba el Sol y decía:

"yo veo una innumerable compañía de seres
celestiales gritando:
Santo, Santo es el señor Dios..."

La magia y la ciencia ya no se oponen. No importa sobre qué nuevos ejes gire la futura astronomía, el eje del hombre es siempre cálculo y desvarío, aventura y orden, pasión y cordura, los sueños que sueños son y la interpretación de los sueños.

Comentando esos versos dice T. Roszak que necesitamos:

"Proclamar un nuevo cielo y una nueva tierra tan vastos, tan maravillosos, que las exigencias ordenadas de la expertez técnica tengan necesariamente que retirarse en presencia de semejante esplendor a una condición subordinada en las vidas de los hombres."

Eso nos falta, jerarquizar nuestros fines, organizar la escala de prioridades, liberar la mente y *ejercer* la libertad que equivale a proclamar el derecho a otras alternativas.

Seguiremos solos tú, yo, nuestros hijos. El calor de la tribu ya no es recuperable. Pero hay otro calor, el de compartir algo genuino, el de explayar todos estos mundos que llevamos dentro, para sentirnos parte de algo, algo mayor que nos abarca, que nos sostiene, algún recóndito encanto de alguna misteriosa raíz que liga todos estos troncos que parecen estar —sugería Kafka— sobre la nieve, que con un empellón pueden ser volteados, pero no, algo profundo los une.

A veces, cuando volvemos a la madrugada de las fiestas bulliciosas, nos recoge el silencio del cielo estrellado, y un atisbo de aquello profundo nubla la vista, corta la respiración, y uno se siente francamente feliz.

De eso profundo no hablamos.

Ni entre nosotros, ni con nuestros hijos.

Y sin embargo es lo único importante.

El vaciamiento de los hijos

El 1862 publicó Iván Turguenev su novela *Padres e hijos*. Allí se plantean los conflictos de la modernidad, de la tradición en crisis, y por primera vez aparece el vocablo *nihilismo*, como ideología de la nada (*nihil*).

Era la época de plena fe en el progreso, en el positivismo de las ciencias que terminarían por resolver todos nuestros vetustos problemas.

Uno de los personajes, Basarov, apasionado de la ciencia, dice:

"Basta con estudiar a un ejemplar humano para tener una opinión acerca de todos. Las personas son como los árboles en el bosque, ningún botánico estudiaría por separado cada uno de los abedules."

27

Todos los árboles son más o menos iguales, desde el punto de vista científico, en su estructura, en su funcionamiento biológico, en sus leyes de germinación, crecimiento, floración, fecundación.

Anna Serguiéivna pregunta:

"—¿Entonces, en su opinión no existe diferencia entre una persona necia y otra inteligente, entre una mala y otra buena?

—Sí, la hay, lo mismo que entre un enfermo y un sano... En cuanto al motivo de las enfermedades morales, hay que buscarlo en la mala educación, en todas las vaciedades que inculcan desde niños en las cabezas de las gentes, en la pésima estructura de la sociedad. Hay que enmendar la sociedad para que no haya enfermedades."

Basarov pertenece al bando de la racionalidad.

Todo lo que no es racional, lo que no es científico, es vaciedad, es dañino.

Ahí estamos, nosotros, en pleno siglo XX, en el medio, pugnando por educar hijos "sanos", desprovistos de vaciedades. Queremos ser padres científicos, racionalistas.

"Estimular" es un verbo clave en esta perspectiva.

Nuestros hijos nacen y se vuelven objeto de observación, entes de laboratorio. Estimular, estimular. Sonajeros, cosas que cuelgan sobre la cuna, grabaciones musicales, objetos redondos de plástico para el tacto. Después vendrán juegos didácticos: armar, desarmar, manejar, coordinar. Después, a llevarlos de la manita a los espectáculos especiales que se hacen para ellos; a comprarles los discos correspondientes. Luego los libritos esos, espectaculares, finísimos, en colores, hechos por especialistas, con el cuerpo humano, los órganos, tan estimulantes ellos.

Más tarde, libros de cuentos desprovistos de toda agresividad o competencia, para no contaminarlos con esas suciedades de la sociedad y estimularlos hacia el bien y la cooperación. Todo eso mezclado con ositos, gatitos, tortugas, chanchitos, elefantes, jirafas, leoncitos, que sirven —me imagino— para estimular cierta percepción ecológica del universo.

Sobre todo el amor a los perritos.

No sé qué estimula todo eso; supongo que los buenos sentimientos hacia el ladrido ajeno.

De acuerdo con los resultados que se observan en varias generaciones de chicos estimulados y criados científicamente, hemos de concordar que *no nos ha ido demasiado bien*.

El personaje de Turguenev sigue teniendo razón: no hay que llenar la cabeza del hijo con vaciedades.

Ahora discutamos qué son vaciedades.

Cien años después de Turguenev observamos que por pánico de introducir "vaciedades" en los cerebros de los niños, se los viene vaciando a ellos de dimensiones elementales de lo humano: lo mágico, lo poético, lo afectivo, lo espontáneo, lo imprevisto.

Se ha impuesto como superior y válido el hemisferio cerebral izquierdo, promotor de raciocinio, abstracción, cálculo y utilidad. El otro, el que lo completa, la otra mitad, la del creativo hemisferio derecho, generador de sensibilidades poéticas, ése ha sido vedado.

El hombre es todo el hombre, el niño es todo el niño. Ciencia y magia, reflexión matemática y el amor que espera ser amado.

Ya no hemos de temer a las vaciedades. Es tiempo de plenitud. Acuario lo llaman los jóvenes esperanzados. Es tiempo de abundancia.

La propia psicología avanza hacia la consideración de dimensiones que antes la ciencia rechazaba con supremo desdén. Se habla de lo transpersonal, aquel punto donde pueden tocarse las paralelas de las existencias individuales:

"Crecemos en un plano de la existencia al que llamamos real. Nos identificamos totalmente con esa realidad considerándola absoluta, y las experiencias o vivencias que no son congruentes con ella las descartamos, tachándolas de sueños, alucinaciones, insania o fantasía. Lo que Einstein demostró en la física es igualmente válido para todos los demás aspectos del cosmos: toda realidad es relativa, no es más que una de las posibles versiones de cómo son las cosas.

"Siempre hay múltiples versiones de la realidad."

Esto escribe Tam Dass en *Más allá del Ego*.

Me gustaría tener sobre mis rodillas un niño pequeño y contarle esta historia, la de las múltiples versiones de la realidad, para que desde chico vaya abriendo sus ojos a un hermoso mundo que le toca a él, constantemente, recrear, integrar.

II.   La obra de la vida

La dignidad del hombre

Fue Descartes quien estampó la fórmula de la futura modernidad: la duda.

El filósofo francés quería liberarse de todo el peso del pasado filosófico, y pretendía hallar una base inconmovible para el pensamiento y sobre ella asentar la verdad.

Dijo Descartes: "Pienso, por lo tanto existo".

Dudo de todo, pero no puedo dudar de que estoy dudando. Dudo, es decir pienso. Y si pienso debe de haber alguien que es sujeto de esa acción; ése soy yo; por lo tanto, no cabe duda de que existo.

¿Qué tenía de novedoso, de revolucionario?

Nada había de revolucionario en la fórmula cartesiana; inclusive cabe recordar que ya San Agustín había dicho algo semejante, más de mil años atrás.

Sin embargo la revolución no está en la frase, sino en la medida en que una expresión concretiza en sí la atmósfera de un siglo o de una época.

Lo que prevalece es el *pienso*.

Yo.

Es decir, solo.

Nadie puede pensar por mí, nadie puede pensar para mí.

Descartes está exultante. Furiosamente feliz. Existe. Es. Piensa. Se siente poderoso. Es la simiente del futuro, de un futuro que él no puede prever. Nosotros somos su futuro, su última consecuencia, y del color violáceo del gozo pasamos al verde del progreso.

33

Precedió a Descartes el Renacimiento, y en Italia le tocó a Pico de la Mirándolla restablecer la dignidad del hombre. ¿Digno de qué? De confiar en él, de ser él su propia autoridad.

El Salmo 8, que Pico suele citar, si bien dice que el hombre es nada para que Dios lo recuerde, *también* dice que el hombre fue creado casi a la altura de los ángeles.

Ese "casi" es la distancia que media entre la mano de Dios y los dedos de Adán en la Capilla Sixtina. La razón acorta esa distancia; la animalidad la amplía hasta el infinito.

Pico, en su famoso discurso, sostiene que los ángeles son superiores al hombre, y sin embargo merecen envidiar al hombre.

¿Por qué?

Leamos:

"A la postre, me parece haber entendido por qué el hombre es el ser vivo más dichoso, el más digno, por ello de admiración y cuál es aquella condición suya que le ha caído en suerte en el conjunto del universo, capaz de despertar la envidia, no sólo de los brutos, sino de los astros, de las mismas inteligencias supramundanas."

¿Qué tiene de maravillosa y admirable la condición humana?

Pico representa a Dios concluyendo su creación y considerando que faltaba "alguien que apreciara el plan de tan grande obra, amara su hermosura, admirara su grandeza... Por eso, acabado ya todo pensó al fin crear al hombre..."

Imagina Pico que, nacido Adán, el Señor le habló en los siguientes términos:

"No te dimos ningún puesto fijo, ni una faz propia, ni un oficio peculiar, ¡oh, Adán!, para que tu puesto,

34

la imagen y los empleos que desees para ti, ésos los tengas y poseas por tu propia decisión y elección. Para los demás, una naturaleza contraída dentro de ciertas leyes que le hemos preescrito. Tú, no sometido a cauces algunos angostos, te definirás según tu arbitrio al que te entregué."

Por cierto, hay en el hombre una naturaleza impresa, y cumple con ciertas leyes, como todo lo existente dentro de la naturaleza. Pero nótese que esa naturaleza debe ser modelada, definida, y para ello está el arbitrio, es decir la voluntad.

Somos libres. Somos autores de nuestro destino. Por tanto, somos responsables. Y por eso somos *tan* dignos. Creados por Dios, pero hecho cada uno, por sí mismo.

Somos inconclusos. Debemos concluirnos. En la imperfección —la no conclusión— está la grandeza del hombre: su vida es obra.

Sigue hablando Dios a Adán, en lenguaje de Pico:

"Te coloqué en el centro del mundo, para que volvieras más cómodamente la vista a tu alrededor y miraras todo lo que hay en este mundo. Ni celeste ni terrestre te hicimos, ni mortal, ni inmortal, para que tú mismo, como modelo y escultor de ti mismo, te forjes la forma que prefieras para ti."

La dignidad es una tarea. La libertad, una empresa. Es el centro del mundo, pero para observarlo todo. E —indirectamente— saberlo y gobernarlo, tal cual consta en el libro de Dios.

Gobernar es administrar, cuidar, preservar.

"Volver la vista más cómodamente a tu alrededor" es un privilegio, pero no un regalo. Implica actividad, creatividad, responsabilidad.

El hombre está a mitad de camino entre el cielo y los abismos. Tiene que esculpirse, Adán, completarse, decidir su ser a través de su quehacer.

Debe elegir quién es: alguien cercano a los ángeles o alguien muy emparentado con las bestias.

> "Podrás degenerar a lo inferior, con los brutos; po-
> drás realzarte a la par de las cosas divinas, por tu
> misma decisión."

Podrás. Podrías.

Pico está contento, maravillado, pletórico de entusiasmo. ¡Ése es el hombre!

¡Grande porque no está hecho, porque es libre, porque puede y debe hacerse! Grande porque no tiene rostro, ni lugar, ni determinación alguna, salvo su naturaleza, ese motor que él debe, también, conducir hacia algo que es natural elección de la libertad.

Pico es feliz. Descubre al hombre libre y liberado. Es el hombre del Renacimiento. El de rotas cadenas. Resplandece en el arte, en las ciencias, en la literatura.

El orden universal no ha sido tocado en lo más mínimo.

Aunque cada uno puede armar su propio *cogito* y aunque cada uno puede adherir fervorosamente al discurso de Pico y fantasear acerca de qué imagen esculpirá de su propio ser, sin embargo ni Pico ni Descartes ni el resto de los pensantes de esos tiempos, pone en duda que hay un orden acerca de los deberes del hombre, los de la mujer, sus respectivos puestos en la vida, y las normas de conducta con los hijos, en la educación.

Creían que la modificación de algunas piezas en el tablero no hacía mella en el tablero mismo.

Cambiaron el orden de ciertos conceptos, liberaron al hombre del autoritarismo de verdades consagradas en la teología, en la filosofía, en las ciencias naturales, pero no pretendían liberarlo del orden de las verdades establecidas en materia de vida, familia, valores humanos.

El Salmo 128 lo describía así:

36

"Cuando comas del esfuerzo de tus
manos,
feliz de ti.
Tu mujer es como fecunda vid,
extendida por todo el hogar, tus
hijos como plantitas de olivo, en
torno a tu mesa.
Así es bendecido el hombre que teme a
Dios."

El trabajo es una bendición, la esposa es una bendición,
los hijos en torno de la mesa son una bendición.

El hombre del Salmo "teme a Dios", es decir cumple
con su Ley. Y la Ley es precisamente la estructura que da
lugar a *ese* orden, esa organización.

Que cada uno piense, que cada uno exista y se sienta el
eje del universo; eso en cuanto a la concepción del mundo
y del ser en el mundo.

Pero en la coexistencia hay una Ley, hecha de derechos
y deberes. Esa Ley es el tablero.

Nadie pretendía modificarlo.

Descartes, Pico, Miguel Ángel, Galileo, Erasmo y tantos
genios de esos siglos, disponían de una nueva mirada
sobre el mundo, pero conservaban el viejo orden, la necesidad del orden.

Y, sin embargo, esas ideas, con el tiempo —tomó varios
siglos— están cambiando el orden, produciendo fisuras
en el tablero.

Una vez desatada la duda, es imposible ponerle frenos,
límites.

Primero se desechó ciertas autoridades. Andando el
devenir temporal se preguntó el hombre: *¿por qué no des-
char todas las autoridades?*

Todos progresan, menos yo

Ese yo repleto de dignidad y henchido de pensamiento causará, con mínimas y lentísimas gotas de duda, la disolución de los cimientos de cualquier orden posible.

Hoy lo sabemos, hoy lo cosechamos.

¿Qué no alcanzó a prever Pico? ¿En qué se equivocó Descartes? Ambos creían que el hombre libre de ataduras represoras pensaría, y pensaría la verdad, y puesto que la verdad es universal, todos los hombres concordarían en la verdad, y serían hermanos-de-verdad y por-verdad, en toda verdad, en la física, en la matemática, en la astronómica y en la moral, la que hace a los afectos, al bien común, a la felicidad.

¿No había enseñado Sócrates que los hombres hacen el mal por ignorancia? ¿No había demostrado Sócrates que el que conoce el bien hace el bien?

Creían en Dios. Creían en el hombre. Creían en el progreso.

La idea del progreso —que literalmente significa ir hacia adelante— inundaba los ánimos de dulces esperanzas.

Valía la pena ser padres y traer hijos al mundo.

Se rompían cadenas de esclavitud y se forjaba, en cambio, la cadena de la continuidad de las generaciones, con una idea que decía:

Somos enanos, es cierto, pero estamos sobre hombros de gigantes, y por eso, podemos ver más lejos.

Los hijos, encaramados sobre los hombros de los padres.

Una cadena. O una escalera. O una pirámide. Contaban con la fe profética en un final de los tiempos, es decir una coronación de la historia en la cual el cordero y el lobo pacerán juntos, no habrá más guerras y el amor cubrirá la tierra.

Hagamos lo que pedía Pico: volver la vista y contemplar a nuestro alrededor. ¿Qué vemos? El progreso: máquinas, muebles, cables, comunicaciones, informática, vídeos; gente que camina por las calles, que maneja autos, que toma sol enchufada a aparatos varios para alcanzar una mayor densidad de dicha.

Sólo que este individuo no es feliz. Disfruta del progreso, pero no disfruta de sí mismo dentro del progreso.

No hemos progresado conjuntamente con el progreso. La verdad gana, es cierto, y se llama Einstein, Planck, ADN, MIT, vacunas, *by pass*, láser, siliconas, mejora el aspecto, aumenta la salud y prolonga los años de la existencia.

Pero yo mismo no he progresado.

El "yo pienso" que Descartes creía que nos ayudaría a vivir y a mejorar la calidad de vida, está totalmente lanzado hacia afuera; el interior de la existencia humana está vacío, desamparado.

El progreso es el camino hacia afuera. El otro sería el regreso, retorno. Después de mirar en torno, *re-torno*.

De mí hacia mí. Observo mi entorno y miro el aparato de compact-disc que me acompaña, con tanta pureza de sonido, sin púas, sin ruidos, mientras yo hago ruido con la máquina.

Los amigos me preguntan si escribo con computadora. Digo que sí mientras mis entrañas enrojecen de culpa y de vergüenza. Los amigos tienen agenda computadorizada. La sacan del bolsillo y combinan conmigo citas apretando teclas. La envidia me carcome. No obstante tengo mi compact-disc, y lo miro y me gusta. Pero me siento solo.

A veces, cuando pienso, sospecho que podría sobrevivir sin el compact-disc, y aun sin los discos. Con la radio de mi abuelo me bastaría.

Recuerdo a mi abuelo. Lo extraño. Pienso. Pienso en los nietos que hoy nacen sin abuelos.

Estamos solos.

Miro en los ojos de mi esposa. Contemplo a mi madre. Observo a mis hijos. Busco un punto de apoyo. A veces creo tenerlo, a veces se me va. Es que pienso. Solo. Descubrí que todos pensamos, y todos solos, cada uno en su pista, y no a la misma hora, solos, sin puertas, sin ventanas, totalmente cerrados, extendiendo la mano, como Adán en la Capilla Sixtina, exactamente igual, en busca de.

Antes de la segunda guerra mundial intuyó Henri Bergson que el poder racional se aplicaba únicamente a lo inerte.

La razón no puede captar la verdad de la vida que es movimiento, cambio, modificación perpetua, no-repetición.

Por eso es tan difícil progresar propiamente en lo humano, en lo vital.

Porque no es racional. Porque es contradicción, mixtura de mundos, anhelo del cordón umbilical perdido, el de la madre, suplantado luego por las conexiones interhumanas llamadas valores, proyectos, principios, y que son la argamasa constitucional de la vida, su finalidad.

Decía Bergson que hemos llegado a tener un gran cuerpo con una pequeña alma. En consecuencia, agregaba, deberíamos dedicarnos a acrecentar el alma para que la existencia no adoleciera de tanto desequilibrio.

Y desde entonces venimos hablando del alma, de los valores, de la educación, de los padres, de los hijos, de las culpas, de los niños de Biafra.

Cada vez hablamos mejor del hombre; nos cuesta, en cambio, todo un triunfo hablar con el hombre.

Nuestros mensajes contradictorios

Estamos solos, pero con otros, y los otros de los otros. Y mientras inundamos a los niños y a los jóvenes con mensajes del alma, lo que se ve es el cuerpo, nuestro cuerpo, lo que hacemos diariamente, lo que otros hacen, lo que realmente queremos para nosotros y, por tanto, para nuestros hijos.

Decimos amor pero queremos éxito.
Decimos comprensión pero queremos éxito.
Decimos entendimiento pero queremos éxito.

El mensaje de los padres está en la vida de los padres, no en lo que los padres les seleccionan a sus hijos, ni en lo que se repite en la escuela adonde los padres mandan a sus hijos.

Los buenos hijos son los que tienen éxito.

Los buenos hijos tienen éxito en aquellas áreas consideradas dignas de éxito en la sociedad, la misma sociedad que *recita alma*, valores morales, solidaridad, además *reclama* economía, producción, balanza comercial.

Si un hijo resulta exitoso en la poesía, imaginemos, o en el cultivo de flores que no se exportan, merecerá, en el mejor de los casos, la piedad empática de los padres y de los amigos de la familia.

El éxito no es alma, es cuerpo. Es cantidad. Se mide, se pesa, se pondera.

Es parte del mercado de valores, los únicos valores que tienen mercado y, por tanto, los únicos valores que son realmente valiosos para la sociedad de los padres y de los hijos.

Necesitaríamos un nuevo Pico para que observe su entorno y nos diga qué ve. Vería que Dios creó al hombre y el hombre creó la Bolsa. Y los discursos acerca del hombre y su dignidad.

El tema, por lo tanto, ya no es cómo tener más alma, sino cómo tenerla menos, cómo adecuarla más al cuerpo *para que la esquizofrenia entre lo que se declama y lo que se reclama no sea tan grande.*

Había una vez un crítico musical, experto en las obras

41

de Wolfgang Amadeus Mozart. A la hijita de ese musicólogo le enseñaban en la escuela canciones de Irving Berlin, Jerome Kern y otros autores por el estilo. El padre se enfureció. ¿Por qué no le enseñaban *Lieder* de Schubert, en lugar de alimentarla con tan insustanciales melodías? —se preguntaba. Un día fue a ver a la directora, y todo iracundo le hizo conocer su opinión sobre lo bueno y lo malo en la enseñanza de la música.

Salió y se sentía muy feliz por lo que había hecho.

Mientras caminaba por la calle, de lo feliz que estaba, se puso a cantar. Canturreaba *Comienza el beguine*, de Berlin.

Las reflexiones del soldado Williams

En *Enrique V* de Shakespeare, en el campo de batalla se desarrolla un diálogo entre soldados y el rey (embozado, con la apariencia de un vulgar hombre) acerca de la autoridad, de la obediencia, del bien y del mal.

El soldado Bates se siente protegido por la existencia del rey:

"—Sabemos bastante con saber ser súbditos del rey.
Si la causa fuera mala, nuestra obediencia nos lavaría
de toda culpa."

Tener un rey, tener una autoridad suprema y máxima, redime al soldado Bates. Él es un súbdito. Debe obediencia. Cumple con su deber. Si el deber —que deriva de arriba, de la autoridad— es bueno, bien. Si es malo, bien: el rey carga con todo, y nadie es culpable.

Bates vive seguro, tranquilo. Está dentro de una estructura continente; está contenido.

Ellos tan sólo tienen que salir a guerrear, a matar o a ser matados. Nada más. Sin duda temen a la muerte pero están tranquilos, en el interior. No hay cuestionamientos del sí y del no; ese miedo no lo tienen; esa pregunta de qué debo hacer yo con mi existencia, no les urge. La respuesta viene desde arriba. Se dice "el rey", pero entiéndase: la autoridad, el orden, la organización. Lo sólido.

De lo sólido proviene lo solidario.

Lo sólido en los valores sustentados desde la autoridad provee solidaridad. *Una* autoridad *unifica*, hace de la sociedad *una*, de ricos y pobres, aristócratas y pistoleros (uno de los tantos personajes de *Enrique V* se llama "Pistol"), *un* pueblo, *una* causa, *una* finalidad, *una* respuesta a la pregunta por la vida.

Pero ahí también está Williams, otro soldado. Ése piensa, y al pensar duda. Sigue razonando sobre la posibilidad de que la causa del rey no fuere buena; entonces dice:

> "—...el rey tendrá que dar una cuenta terrible, cuando los que caigan en la batalla, reunidos el día del juicio griten: Hemos hallado la muerte en tal sitio, los unos jurando, los otros pidiendo un médico, otros pensando en sus esposas abandonadas en la miseria, en sus deudas no satisfechas, en sus hijos huérfanos. Espanta cuán pocos deben morir tranquilos en el campo de batalla."

Mientras Bates piensa que morir en el campo de batalla es *morir por algo y por alguien*, Williams mastica los detalles del cómo se muere, en qué se piensa cuando se muere, cómo es el grito que se emite, el médico que se pide, la esposa que se añora, los hijos... Los hijos. Williams tiene miedo por los hijos, los que ahora tienen padres, los que luego quedarán huérfanos.

Dice Williams:

> "Cómo pensar en la salvación cuando no se abrigan más que ideas de exterminio."

He ahí un problema digno de Hamlet y no del soldado Williams. *Un soldado que piensa es un mal soldado.*

Williams es renacentista. Ergo, piensa. Él piensa. Y así va sembrando la semilla que con el tiempo —oleoso, espeso, de muy pesado andar, pero tiempo al fin— abrirá brechas en todos los muros y en todas las autoridades.

El problema sigue siendo exactamente el mismo; la brecha se ha vuelto abismo:

"Cómo pensar en la salvación cuando no se abrigan más que ideas de exterminio."

Enrique V, en pleno campo de batalla, llora, se arrepiente, apela a Dios, gana la guerra, y a Él le canta un *Tedeum*.

¿Cómo explica Williams a sus hijos, cuando vuelva a casa, eso del *Tedeum* en pleno campo de batalla, eso de Dios favoreciendo a unos contra otros?

Explicar se explica.

Pero no se convence.

También eso, en el último decenio el siglo XX se explica, pero no convence.

El tema es el mismo:

"Cómo pensar en la salvación cuando no se abrigan más que ideas de exterminio."

Las ideas y las prácticas, de exterminios tienen plena vigencia en el mundo actual.

No se justifican.

No hay rey. Todos, hijo mío, debemos rendir cuentas. No hay manera de justificar el exterminio, el hambre, la enfermedad. No pienses en la salvación, *ni autorices que te hablen de ella.* ¡Hazla!

Mi abuelo

Estamos tramados mi esposa, yo, los hijos; nuestros respectivos padres están lejos, esfumados; nuestros hijos los visitan, los quieren, los besan, los tratan bien, pero no cuentan con ellos, no son parte de ellos.

Hace unos meses fui al cementerio. Quería ver la tumba de mi abuelo.

Yo tuve abuelo, viví junto a él y fui muy amado por él. Carecía de cultura mi abuelo, pero estaba lleno de afecto, dedicación, entrega. Se habla de mandatos. Yo, el mío, lo recibí de mi abuelo. Un mandato de fuerza, disciplina, coraje y estudio, mucho estudio.

Quise ver su lápida. Hacía diez años que no iba. Me olvidé de él entre tanto trabajo y la lucha por la vida. La vi, la recordé, un bloque de granito grande y sencillo. La inscripción estaba borroneada por las lluvias y los vientos transcurridos. Ahí estuve parado unos minutos reflexionando y reviviendo mi pasado, mi infancia, mi familia, la de los tíos, los primos. Obviamente nadie visitaba ese lugar desde que los hijos de mi abuelo —salvo mi madre— desaparecieron.

Ni siquiera yo, el benjamín de los nietos.

¿Qué tiene de bueno visitar cementerios, tocar lápidas? Nada. No hay exigencia moral que estipule deberes al respecto. Más: la educación que me había dado mi abuelo renegaba de cementerios como lugares de culto.

Es fácil llorar el recuerdo de los muertos y rendirles homenaje.

Lo fácil es el alma, la palabra patética. Lo difícil es el cuerpo, el prójimo. Ese cuerpo concreto de al lado, ese rostro, ese pedazo de vida tangible.

Los cementerios son buen lugar para meditar. Pero uno entra y sale raudamente y el pensamiento dura muy poco.

Uno tiene tantas cosas que hacer que no irá a repetir con Segismundo:

"¿Qué es la vida? Un frenesí.
¿Qué es la vida? Una ilusión,
una sombra, una ficción,

y el mayor bien es pequeño,
que toda la vida es sueño,
y los sueños, sueños son."

Vivir es olvidar la vida, justamente. Una ilusión, sí,
pero significativa; sueño sí, pero descifrable por Freud.

"Eso es lo que tengo", pensé. Mi alma, mi inconsciente.

Tenía un abuelo. Era parte de mi vida, yo era parte de la
suya. Éramos parte de. También los tíos, los primos y, en
consecuencia, los padres y los hijos.

Yo *le tenía miedo* a mi abuelo, a su cólera encendida. *Pero
vivía sin miedo*, confiaba en él, sentía que confiaba en mí.

No puedo hablar de la belleza de mi infancia, ese *clisé*
de mejillas rosadas.

Pero puedo hablar de la serenidad de aquellos días, de
la seguridad, de la contención, del ser parte de, y de estar
contenido en y de vivir para.

Se esperaba algo de mí. Mi abuelo esperaba algo de mí.

Se esperaba algo de cada uno, y de mí lo mío.

Había algo que hacer, que hacerse. El éxito también
contaba, pero como parte de algo más grande, más am-
plio, algo que se llama historia, vida.

Mi abuelo era dichoso. Visitaba a todos sus nietos
como quien va a supervisar el estado de esposas, hijos,
casas, hogares, sustento.

Nosotros íbamos a verlo porque había que hacerlo.

Había que hacer, que hacerse; había que.

Vi en el cementerio muchas tumbas abandonadas, lápidas destruidas. Divagué, medité.

Llegué a una conclusión muy elemental: estamos cada
vez más solos, en la calle, en casa y en el cementerio. Los
lazos son muy endebles, y la continuidad de las generaciones se quiebra poco tiempo después de la muerte.

Esto es lo que es, esto es lo que somos.

"¿Qué es la vida? Un frenesí."

46

Ni ilusión, ni ficción, ni sueño. Mero frenesí, ansiedad, angustia, el corazón galopante en un cuerpo azogado mientras el alma, de tiempo en tiempo, emite salmos de amor y poemas de piedad y dulzura.

Imagen de los vínculos

Los muertos siguen apareciendo en el diario. Los cementerios se embellecen para que los vivos, cuando llevan flores, se sientan cómodos y confortables.

Pero se han roto los vínculos.

Recuerdo la iglesia de San Pietro in Vincoli, en Roma. Allí está el *Moisés* de Miguel Ángel. Moisés con las tablas de la Ley. Coincide la Ley con el nombre del lugar: in Vincoli, es decir en cadenas.

Vínculos, en latín y en la realidad, son cadenas.

Pero las cadenas están rotas.

Las conclusiones se encadenan a partir de las rotas cadenas.

Sigue habiendo mucha gente, relaciones, lazos, esposos, madres, padres, primos, vecinos, ciudadanos, amigos, compañeros, colegas; sigue habiendo muertos y cementerios bien administrados; sigue habiendo jóvenes que son los incomprendidos, y viejos con plenitud de vigor físico y espiritual pero que deben correrse a un costado y ceder el lugar a los jóvenes y agruparse en gremios de la tercera edad y bailar organizadamente la zamba, hacer concursos de dominó, formar coros y vivir, vivir, en programas que proponen los especialistas de la tercera edad.

"Y el mayor bien es pequeño."

No importa si es pequeño o es grande. Es soledoso. Es de los otros, los otros deciden qué es el bien y qué es el mal. Alguien tiene que decidir, después de todo.

47

La libertad toma las rotas cadenas en la mano y juega con ellas. Después hay que hacer algo. Logramos desvincularnos. Independizarnos. No le debemos nada a nadie. Ya no "hay que".

De toda esa estructuración de la existencia humana en relaciones —vínculos— sólo quedamos nosotros, los padres y los hijos. Yo, tú y nuestros hijos.

Gloriosamente solo. Fastuosamente libre para decidir, optar, elegir.

Lo puedo hacer por mí, para mí. ¿Pero por ti, para ti? ¿Y nosotros por y para nuestros hijos? ¿Con qué derecho, con qué legitimidad, con qué justificación, con qué autoridad?

De eso no hay nada escrito. Tenemos que inventarlo nosotros. Eso nos coloca por encima de Leonardo da Vinci. Él supo imaginar figuras, él creó *La Última Cena*. Todo lo hizo por gusto propio pero para otros. No supo inventar un nuevo modo de vivir.

A nosotros, a los herederos de las rotas cadenas, nos toca aplicar la genialidad al arte de vivir, de convivir y de conocerse.

Conocer, en francés se dice *connaître*; Claudel interpretaba "co-nacer". Ser padre es co-nacer con los hijos y colaborar.

La obra de la vida

Debemos modificar esa idea de educación de tiempos idos que era una línea que bajaba de las alturas jerárquicas de padres y maestros, ancianos y sabios, a los pueriles infantes.

No hay más líneas verticales.

Miguel Ángel esculpió a *Moisés*, el de la Ley, y está en San Pietro in Vincoli. In Vincoli, en vínculos, en cadenas; preclara metáfora del mundo que fue y que ya no es.

Nos toca cumplir con el sueño de Pico, el de la autocreación, el de la mayor dignidad del hombre libre:

hacerse.

X *Ese talento lo tenemos todos: hacer de la vida una obra.*

La clásica distinción entre "vida y obra", tan aplicada a los grandes que en la historia han sido, distinguía entre una vida que era, después de todo, accidental, y valía tan sólo por la obra producida.

Para ellos valía la obra.
Para nosotros vale la vida, porque debe ser obra, un deber ser que ha de emerger del fondo de cada uno en convivencia con cada otro, hombre, mujer, padre, madre, hijos, hermanos, vecinos.

El propio Borges decía que el único pecado que no se perdonaba era el de no haber sido feliz; ese Borges, sin embargo, consideraba que estamos en el mundo para producir alguna obra. En consecuencia, le encantaba citar a Carlyle que imaginaba el grotesco de una biografía de Miguel Ángel "que omitiera toda mención de las obras de Miguel Ángel". Sería una excelente broma.

Sigue ironizando Borges e imaginando cuántas biografías se podrían componer de un solo hombre:

"No es inconcebible una historia de los sueños de un hombre; otra de las falacias cometidas por él, otra de todos los momentos en que imaginó pirámides..."

Deplora Borges que las biografías de los grandes no se limiten a narrar la obra, exclusivamente, de esos personajes y mezclen con la obra "la biografía económica, la biografía psiquiátrica, la biografía quirúrgica".

Miguel Ángel, obviamente, no fue grande por su vida, fue grande por su obra.

Cesaron las Capillas Sixtinas y los ángeles migueles. Ya no es tiempo de obras geniales, para la eternidad, sólidas y duraderas y trascendentes. El arte es *happening,* cosa de vida, acontecimiento, pasajeridad, de hoy para mañana.

La eternidad —junto con todo lo sólido— se ha desvanecido en el aire.

Hay trabajos de equipo, avances extraordinarios, aplicaciones de todo un saber previo en la tecnología. Genes y no genios. Con-gén-eres. Hombre de congresos y convenciones.

Hay épocas en que los genios son requeridos. En otras se pide que se aplaquen, que se repriman, que no aparezcan.

Tal vez así sea la nuestra. Nos cansamos de tantas obras geniales.

Queremos saber cómo se vive genialmente.

Hay que mirarse el ombligo, y eso impide mirar el cielo estrellado. Lo uno o lo otro. Cabe, en el mundo actual, gente tan dotada como Goethe para la poesía o Juan de la Cruz para la mística. Estadísticamente existen, pero no se los ve.

Es menester despreocuparse de sí mismo para escribir:

"Cuando contemplo el cielo…"

Tenemos la libertad y debemos crear la vida, la paternidad, la filialidad y todas nuestras relaciones, los fines, los significados.

La obra es la vida. Ya no se diferencian más.

La lápida que cubre la tumba de mi abuelo es arqueológica. Como todas las lápidas.

Pienso, por lo tanto existo. Existo, por lo tanto pienso.

Nuestro deseo más ferviente era pensar, por nosotros mismos, sin coerciones exteriores, sin látigos. Por fin podemos hacerlo.

Quiéralo o no, yo debo pensar.

Es mi gloria, es mi angustia.

En el libro intitulado, justamente, *Todo lo sólido se desvanece,* de Marshall Berman, se dice:

"Psíquicamente desnudos, despojados de toda aureola religiosa, estética, moral y de todo velo sentimental, devueltos a nuestra voluntad y energía individual, obligados a explotar a los demás y a nosotros mismos, a fin de sobrevivir..."

Así estamos, así somos.

Si fuéramos sinceros no tendríamos miedo. Cuando uno sabe con precisión qué es y qué no es, deja de tener miedo y comienza a tener cuidado.

¿Qué podemos hacer? ¿Es malo todo eso, estar desnudos, despojados, despiertos?

"...Sin embargo, a pesar de todo, agrupados por las mismas fuerzas que nos separan, vagamente conscientes de todo lo que podríamos ser unidos..."

Podríamos ser unidos. Solos, pero unidos. Unidos por el "des", despojados, desprotegidos, desencantados. Ligados, religados.

"...dispuestos a estirarnos para coger las nuevas posibilidades humanas, para desarrollar identidades y vínculos mutuos que puedan ayudarnos a seguir juntos..."

¿No decimos creatividad?
¿No decimos libertad?
Éstas son las nuevas posibilidades humanas, si atendemos al cuerpo de la realidad y no al alma del discurso romántico y mentiroso, y en estas posibilidades podemos desarrollar identidades y vínculos. Eso que antes se imponía, las identidades, los vínculos, ahora debemos crearlos, hacerlos, forjarlos, una y otra vez, como la salida renovada del sol, todos los días.

Ya que no hay más eternidad, ya que estamos solos y queremos estar mejor, desarrollemos desde nuestra inventiva identidades y vínculos "que puedan ayudarnos a seguir juntos, mientras el feroz aire moderno arroja sobre nosotros sus ráfagas frías y calientes". Así seguirán siendo: ráfagas, frías y calientes. Calientes en el avance progresivo de las conquistas humanas que conquistan cosas, energías, espacio, mundos. Pero frías porque eso que es tan frágil, eso llamado "el corazón humano" no se mejora con la cardiología y sus avances, sino que es sacudido por las ráfagas frías de la intemperie. *Necesita de calor, propio y de otros corazones.*

Un héroe de Rousseau (alrededor de 1760) expresa los sentimientos que la ciudad "moderna" le produce:

"Estoy comenzando a sentir la embriaguez en que te sumerge esta vida agitada y tumultuosa. La multitud de objetos que pasan ante mis ojos me causa vértigo. De todas las cosas que me impresionan, no hay ninguna que cautive mi corazón, aunque todas juntas perturben mis sentidos, haciéndome olvidar quién soy y a quién pertenezco."

Hoy, cerca del año 2000, pienso que existo, digo yo, como decía Descartes, pero mi duda no es metódica, sino meramente accidental, porque aun para dudar se necesita de cosas sólidas, horizontes fijos, y saber quién soy y a quién pertenezco.

Multitud de cosas, de ideas, de situaciones, de estímulos; "ninguna cautiva mi corazón, aunque todas juntas perturben mis sentidos".

Eso es un mundo desencadenado, desencantado. Pero tiene otro encanto, *el de la libertad creadora.*

Ahora, dos siglos y medio después de Rousseau, *podemos* crear el sentido de la vida.

Eres artista, hijo mío; eres el artífice de tu existencia y de su sentido. Tan sublime, en ese campo, como Leonardo en sus obras. Tu vida es tu obra.

El sol es nuevo cada día. Nosotros podemos ser nuevos cada día. No es esto poesía. Es cruda necesidad porque no cabe otra alternativa. Hay que decidirse a ser lo que se es.

No hay cadenas, pero la elección no es un regalo, es una apuesta, una actitud, una conducta, un compromiso; es decir, una promesa compartida.

III. La verdad, toda la verdad

La verdad y tu verdad

En latín *educare* es "criar, alimentar, cuidar". Vale ese verbo, en principio, para toda acción protectora que se ejerce frente a un ser necesitado de apoyo. Es la educación del niño, para que crezca sano y bueno.

Hay otra faz de la educación que proviene del verbo *educere*, que significa "extraer afuera, hacer salir" y alude, obviamente, al acto que estimula al otro a crecer, a darse a luz, a brotar desde su propio interior para ser *persona*, único e insustituible.

En la primera versión el hombre se forma desde afuera; en la segunda, desde adentro.

Sócrates se llamaba a sí mismo "el partero del conocimiento". Dialogaba con la gente y los asistía en el parto del sí mismo. Aun esclavo Menón, le "extrajo" fundamentales principios matemáticos.

Cada cual lleva en sí, potencialmente, la verdad.

La verdad; no *su verdad*: Hoy estamos demasiado acostumbrados a oír que "cada uno tiene su verdad". Si así fuera, la verdad no existiría. Verdad es lo que vale para todos, dentro de una cultura.

Educere no es producir la verdad de cada uno, sino lo que cada uno puede generar desde su interior en el campo de las verdades que son de todos.

Es importante subrayar este tema.

Verdad es un significado objetivo, que nos trasciende, a ti y a mí y a nosotros.

Cada uno, en todo caso, tiene *su* gusto, *su* opinión, *sus*

57

creencias. Y debe saber que son de su privacidad; totalmente respetables pero válidos únicamente para él.

El derecho a la subjetividad es absoluto; nadie te puede invadir en ese terreno; pero tampoco puedes invadir, hijo mío, a nadie con tu subjetividad haciéndola pasar por *verdad*.

No existe tu verdad; mi verdad. La verdad es objetiva, de validez universal, o al menos de validez general para un grupo humano en determinada época.

La educación viene del hogar; la instrucción, de la escuela. Cuando los niños llegan a la escuela ya están educados, es decir, formados y constituidos en los puntos más cruciales del ser personal.

Los padres son el exterior. Representan al mundo y sus valores, aquellos a los cuales adhieren.

Los padres no eligen a la *Gioconda* como modelo de belleza ni a Einstein como modelo de científico ni a la televisión como modelo de comunicación.

Pertenecen a un mundo y reflejan ese mundo en su conducta.

Eso es lo ajeno.

También está lo propio. Los padres, cada uno de ellos, tienen su interior. Insisto, no sus verdades, pero sí sus tendencias, preferencias, habilidades, aptitudes, creencias, adhesiones, rechazos, principios.

Hay derecho a defender esos principios. Son personales. No hay derecho a imponerlos.

Si los padres, antes de analizar a sus hijos, se analizaran a sí mismos, verían cuánto de sus altas causas son subjetivas, personales; aprenderían a relacionarse con el prójimo con el debido respeto frente a lo personal-ajeno y, en consecuencia, no lucharían fanáticamente por sus ideas como si fueran santidades irrevocables, sino que tomarían conciencia de que en este mundo de libertad, las causas que no están cobijadas por la verdad son *opiniones*, artículos de pasión y de sentimiento, eminentemente de cada uno, y cada cual está facultado a aceptar, rechazar, meditar.

La educación, en última instancia, es educación ética.

Yo soy todos mis caminos

Aldous Huxley, en su utopía, *Un mundo feliz*, imagina la plena organización, la total absorción de la vida humana en todos sus momentos por el estado que cubre todas las necesidades. ¿Cómo? Educando, instruyendo. En ese futuro de perfección inmaculada se critica irónicamente a nuestro tiempo diciendo:

"La enseñanza mediante el sueño estuvo prohibida en Inglaterra. Había allí algo que se llamaba Liberalismo. El Parlamento, suponiendo que ustedes sepan lo que era, aprobó una ley que la prohibía. Se conservan los archivos. Hubo discursos sobre la libertad a propósito de ello. Libertad para ser ineficiente y desgraciado. Libertad para ser una clavija redonda en un agujero cuadrado."

Ahí tenemos la definición de libertad. Elegirse. Aunque la elección de cada uno no siempre sea la más acertada, y algún experto la contemple de afuera y vaticine que será de pésimas consecuencias. El Estado utópico podría prever lo mejor para cada uno y de este modo programar la total eficiencia de todos.

¿Ser libre e ineficiente?

Así somos nosotros, así preferimos ser. Preferimos equivocarnos. Lo propio de la persona, su bien más genuino, está compuesto de la totalidad de sus aciertos y la totalidad de sus errores. El error o ineficiencia, visto desde la máquina social, puede ser la felicidad de este hombre que aparentemente elige mal.

Ser una clavija redonda en un agujero cuadrado, en efecto, constituye un mal engranaje. Pero de eso se trata:

59

la libertad es la zafada del engranaje.

Jean Paul Sartre pone este párrafo en boca de su personaje Orestes:

> "He realizado mi acto, y este acto era bueno. Lo llevaré sobre mis hombros... y cuanto más pesado sea de llevar, más me regocijaré, pues es mi libertad."

Cuando el hombre asume sus actos, entonces los hace suyos y, al hacerlo, ejerce su libertad.

Lección para padres, lección para hijos:

> *Libertad no es elegir lo que a uno se le antoja. Ahí quizá comienza la libertad. Pero se realiza cuando eso que uno ha elegido lo carga sobre los hombros y dice "es mío, yo me hago cargo de la carga, lo elijo antes de hacerlo y después de hacerlo." Puede el hombre, inclusive, reconocer que se ha equivocado, que obró mal, que hubo un error. Ése es el segundo momento, el de la responsabilidad y el de la rectificación, cualquiera sea.*

No es capricho la libertad. Ni es inspiración luminosa. Es todo el camino de uno, en todos sus momentos, con toda la responsabilidad de cada caso.

Un camino propio, diferente de los caminos de los otros. Ésa es la genialidad de la vida hecha obra: el camino.

No hay camino, como dice Machado; es cierto, pero hay caminos, en plural. Yo soy todos mis caminos. Y al echar la vista atrás se ve la senda, es cierto, que no se recorrerá más, pero no te desprendes de ella, es tuya, tú la hiciste, es un sector de tu creación, hijo mío, no te la puedes quitar de encima, te pertenece, le perteneces, no como destino, no en cuanto fatalidad, pero sí como manifestación de tu ser en el mundo: ése es tu ser. Vuelve Orestes y comenta:

60

"Todavía ayer andaba al azar sobre la tierra, y millares de caminos huían bajo mis pasos, pues pertenecían a otros. Los tomé todos prestados…"

Nacen los hijos y empiezan a tomar caminos prestados, de sus padres, que a su vez los prestaron de otros; no son propios, son ajenos, tal vez buenos, tal vez inadecuados.

Sigue Orestes, después de haber tomado caminos prestados:

"Pero ninguno era mío. Hoy no hay más que uno y Dios sabe adónde lleva: pero es mi camino."

Mi camino. *Tu* camino. *Su* camino.

No es mi verdad, sino mi acceso a la verdad. Es mi autenticidad.

No puedo usar tus pies, ni tus ojos, ni tus sentidos. Debo usar los míos, y conocer cuáles son los míos, reconocerlos, porque en tanto contacto con caminos prestados ellos se van adhiriendo a la piel y se les hacen huellas y se les vuelven rostros y uno se mira en el espejo y no siempre sabe, como en el baile de disfraces, quién es.

El miedo a los hijos se reduciría notablemente si supiéramos la verdad de lo que es verdad y de lo que es antojo, vanidad, narcisismo de papá o de mamá.

Entonces uno diría con toda claridad qué es lo que piensa, qué es lo que *opina*.

Lo subjetivo de uno ha de dejar espacio a la explosión de la subjetividad del otro, por ejemplo de los hijos.

Lo objetivo —y eso debe ser bien medido y ponderado— es aquello que el mundo, la sociedad, en sus grados de humanidad más cristalizados, considera superior o inferior. Ahí están los mandamientos. Los ordenamientos sin los cuales sería imposible compartir la vida con otros seres y, por tanto, sobrevivir.

61

Los conflictos y las fugas

Occidente es sus valores, la democracia, la libertad, el éxito, la carrera, la lucha por el bienestar y la autonomía.

Occidente es un nudo de conflictos.

Hablamos del hombre como persona moral y por otra parte queremos que nuestros hijos salgan a la calle a pisar contrincantes, a superar colegas, y a ser ganadores a costa de perdedores.

No es que tengamos conflictos, somos conflicto.

El conflicto es la columna vertebral de la existencia humana. Porque somos esa mixtura de racionalidad e irracionalidad, hemisferio izquierdo y hemisferio derecho...

La racionalidad se da en los medios: cómo alcanzar cierta meta del modo más eficiente.

Los fines no son del orden racional; son valores, creencias, determinaciones.

El fin requiere de fe. El medio, de racionalidad.

En la educación de los hijos hay que ejercitar la racionalidad para saber qué se discute, *medios o fines*.

El monólogo nos separa. El compromiso nos liga.

Vivir es convivir. Convivir es poder predecir, en términos mínimos, el comportamiento ajeno dentro de la relación humana.

Compartimos verdades y compromisos.

Las verdades son de todos.

Los compromisos son con-promesas, nuestras.

En una situación de extremo conflicto el individuo cae en la ansiedad exasperada, en el desierto, y eso lo puede empujar hacia conductas extremas, a escapar de la libertad.

He ahí un tema para hijos criados en un marco de anomia (no ley), de aparente comprensión, de aparente dulzura, pero que en el fondo constituyen la cobertura de chocolate del vacío.

Padres con miedo de educar transfieren miedo, indecisión, anomia. Es el gran espacio de libertad sin normas, sin posiciones fijas, de cuerdas aflojadas y sin jerarquías de valores ni creencias; sin compromisos. Esa libertad se torna vacío.

Esa libertad sin objetivo quiere huir de sí misma.

¿Dónde recluirse?

En padres adoptivos que lo tomen a uno con fuerza, lo metan en algún útero tibio, y lo dispensen de pensar, de ansiar.

Puede ser la droga de la evasión y la evasión de la droga.

Puede ser una secta religiosa.

Puede ser cualquier marginalidad en grupos compactos con jefes autoritarios que ordenen qué hacer, qué sentir, a qué ser fiel. Portadores de fines.

Puede ser cualquier variación del fascismo en asociaciones, partidos, grupos, pandillas.

Todo ese mundo opera como droga, esa que planificaba *Un mundo feliz*:

"Cien repeticiones tres noches por semana, durante cuatro años… Sesenta y dos mil cuatrocientas repeticiones crean una verdad."

Un fanatismo. Una entrega total e incondicionada. Un dogma para vivir y para morir. Un puro exterior que lo acune a uno en el ser anónimo, enajenado.

La sociedad de masas es fácil presa de estas situaciones.

¿Qué fue Hitler? El padre absoluto, el autoritarismo sin ambages, sin ambigüedades, claro y rotundo, de multitudes —cultas, refinadas, buena gente— que cerraban los ojos para tender la mano y saludar, y ser nadie, y descansar.

Los hijos criados por padres con miedo, incapaces de libertad y por tanto de decisión, se buscan otros padres, definitivos.

63

Son refugios a los que se apela en la desesperación de tanta libertad que no se puede ejercer porque para elegir hay que tener tablas de valores, grados superiores y grados inferiores, puntos de referencia, clara imagen de lo privado-subjetivo y de lo interhumano normativo.

El autoritarismo paternalista es absolutismo, es totalitarismo. *Total.* Ser como *todos.* Ser dentro de *todos*, perderse en los caminos prestados.

La guerra suele ser un momento de felicidad para las naciones, para los individuos, decía William James. Libera de la libertad. Se sabe quiénes son los amigos, quiénes son los enemigos, cómo distribuir el amor entre los propios, cómo odiar a los del bando opuesto, y sobre todo cómo cumplir órdenes.

Cumplir órdenes es un descanso para la libertad a veces tan deseada, otra tan odiada.

Un mundo prefabricadamente feliz es un mundo de repeticiones, según vimos en el relato de Huxley. Lo que se repite se vuelve verdad.

El exterior sin el interior ordena y uno repite, cumple. La verdad viene de afuera y se impone a *todos por igual.*

Todos, ser *todos.*

El ideal del soldado es ser nadie. Inclusive se lo educa, en el buen ejercicio militar, de tal manera que llegue a nadificarse, a vaciarse de toda individualidad y de toda capacidad selectiva.

Comenta al respecto Elémire Zolla cómo se adiestra a los soldados con órdenes insensatas:

"Levantarse en medio de la noche, correr rápidamente el agua de una cisterna volcándola en otra por medio de jarros o tazas; mejor aun: despertarlos en medio de la noche y ordenarles treparse a los armarios y volver a bajar en menos de cuatro minutos."

De este modo, cuando llegue el momento de la práctica de la muerte no habrá órdenes insensatas. Todo parecerá lógico, las órdenes serán cumplidas sin vacilación. Un buen soldado expresa: no pienso, por lo tanto existo.

Decimos "la sociedad" y cargamos sobre ella todas las culpas, así como el soldado puede decir "el ejército". Ésa es la fuga.

Mi amigo es el que habla de lo que yo hablo.

Levantar los brazos y considerarse víctima de fuerzas anónimas que uno no puede detener, es fuga, traición.

Si los padres la practican, los hijos aprenden.

Si los padres huyen de casa, si buscan refugios en ocios rellenados con hábitos gregarios, los hijos aprenden.

Ésa es la educación de todos los días.

Nosotros somos la sociedad.

El totalitarismo no necesariamente ha de provenir de algún tirano. Florece en plena democracia y bajo azules cielos de libertad. Lo elegimos nosotros, lo hacemos nosotros, lo fomentamos nosotros cuando *todos* huimos para un lado o para el otro, y nos volvemos soldados disciplinados que marchan estúpidamente hacia la gloria de una película, de un estadio, de una pantalla de televisión, de un lugar de veraneo, de un tema de actualidad y

> *todos decimos lo mismo, pensamos lo mismo, vestimos lo mismo, discrepamos lo mismo,*

porque en esa mismidad encontramos resuello e identificación con un grupo de *todos* que nos exime de pensar.

"El hombre masa —considera Zolla— se hace a sí mismo lo que en un tiempo los tiranos hacían con sus súbditos. Reprime sistemáticamente en su memoria, tan amplia y tenaz, el recuerdo de todo lo que pueda tener un interés humano.

"Es decir lo diferente, lo no repetible.

"El hombre masa, pues, no desea comunicar, y en realidad evita la conversación y cuando alguna vez debe afrontarla la reducirá al noticiero de la industria cultural y a lugares comunes."

La anomia es causa y efecto de la masificación que es elegida para evitar una elección personal, comprometida.

Todo nos interesa, el fútbol, Marte, la justicia social, el déficit fiscal, la revuelta en Yugoslavia, los nombres de películas, actores, directores. Tenemos la cabeza llena de datos inconexos. Podemos absorber todo eso y recordarlo, por igual, porque *nos da igual*.

El diálogo suele ser intercambio de datos. No importa qué datos. Comunicación, le dicen. Pero es meramente información.

Los medios crecen. Son los únicos racionales, dijimos. El idioma digital es el menos comunicativo y el más informático: *el uno y el cero*.

Compartimos un mundo de datos.

Mi amigo es el que habla de lo que yo hablo. No importa de qué hablemos mientras cada uno tolere el monólogo ajeno. Compartimos mesas de café, arenas de playa. Y el miedo. Lo que mejor podemos compartir es un espectáculo, algo totalmente fuera de nosotros, ajeno, no comprometedor.

Así empezamos de novios, luego lo incrementamos de casados. En los intervalos hablamos, y hablamos del actor, de la obra, de la dirección, o de los otros que nos rodean.

Nos sorprendemos muy poco. La anomia se hace riesgosa cuando uno no puede contar con la conducta del otro, y entonces no se podría convivir. Pero la vida se hace tediosa cuando se da lo contrario, cuando *a priori* se sabe qué dirá cada quien en cada caso sobre cada tema.

Entre nosotros crecen nuestros hijos.

Dignos émulos de sus padres. El uniforme de la zapatilla se rebela contra el uniforme del ceremonioso zapato. ¡Pobres! ¡No hay manera de rebelarse! No bien nace un uniforme joven, van los padres y se lo apropian.

Vistos desde las zapatillas, todos somos igualmente jóvenes, igualmente rebeldes.

El amor a los hijos

El hijo nació porque nosotros lo necesitábamos.

Ser padres consiste en estar presentes, abiertos, disponibles, atentos cuando nosotros somos los necesitados por él.

Para escucharlo, tengo que escucharte a ti, madre.

Los padres que no son entre sí, no son con sus hijos.

Nosotros, tú y yo, padre y madre, somos, estamos, intercambiamos cosas, ideas, informaciones, y compartimos películas, paseos, amigos.

A veces estamos solos, o nos quedamos solos. Somos el espectáculo viviente, sin ensayos, de nuestros hijos.

Ellos escuchan, captan, ingieren, digieren la *otra* educación mientras nosotros nos proponemos darles una educación oficial, la de nuestros discursos y la de la escuela.

Volvamos a nosotros.

El amor no pasa por lo que opinemos. Tener las mismas ideas o los mismos gustos es parte del folklore mentiroso del amor recetado en la columna semanal de los prejuicios.

El que ama puede o no compartir algo con el amado; no es eso lo que cuenta sino el ser con el otro, la necesidad del otro en calidad de otro, ajeno y sin embargo para-mí, de-mí, con-migo.

Si pensamos lo mismo y tenemos los mismos gustos y opiniones, lo más probable es que ambos no pensemos ni tengamos paladares demasiado aguzados.

El hombre es todas sus manifestaciones y en ellas proyecta una imagen, un modelo de ser. Eso se nota, influye y educa.

Nuestros resentimientos recíprocos educan.

Y las aversiones, y nuestros diálogos de medianoche acerca de los amigos que acabamos de dejar con un cálido y fraterno abrazo, educan.

Y el amor, claro está. Cuando se da.

Pero el amor es lo único que no se puede dar. Acontece entre, se enciende como la chispa del encuentro. Se busca; se encuentra.

Entonces nos damos y prescindimos de objetos mediatizadores. En el cine dejamos de ver la película, cuando nos vemos.

De tiempo en tiempo releo con deleite el pasaje del Dante donde Francesca relata el encuentro del amor:

"No hay mayor dolor que acordarse del tiempo feliz de la miseria.

"Leíamos un día por pasatiempo las aventuras de Lancelote y de qué modo cayó en las redes del Amor; estábamos solos y sin abrigar sospecha alguna. Aquella lectura hizo que nuestros ojos se buscaran muchas veces y que palideciera nuestro semblante...

"Cuando leímos que la deseada sonrisa de la amada fue interrumpida por el beso del amante, éste, que jamás se ha de separar de mí, me besó tembloroso en la boca...

"Aquel día ya no leímos más."

Esa frase, "aquel día ya no leímos más", me sigue impresionando profundamente.

En la plenitud del amor apareces tú, ocupas todo el horizonte de mi existencia, y sobran los libros, la película, las cataratas del Iguazú.

¿Después qué?

Después, hijo mío, hay que aprender a ejercitar el amor.

Amar es aprender a amar. Vivir es aprender a vivir. Es un trabajo, un esfuerzo, porque los días cambian, los tiempos cambian, nosotros cambiamos.

Querer amarte como ayer, es imposible.
Hoy.
Y te prometo que mañana seremos distintos, amaremos
distinto.
O no amaremos.

Amar es dejar crecer. Amar es confrontarse con la plenitud de lo que somos, diferentes y, *sin embargo*, nos seguimos amando.

Dijo Dios a la primera pareja:

"Por eso abandonará el hombre a su padre y a su madre y se unirá a su mujer y serán una sola carne."

Padres que aman aspiran a ser —en el sentido antedicho— abandonados. Cuando tal abandono de amor se cumple, cuando el hijo cuenta con su vida, sus deseos, sus amores, los padres han de sentirse bien y más amados que nunca. Sugería Marcel Schwob:

"Deja que mueran los antiguos dioses;
no te quedes sentado,
junto a sus tumbas, semejante a una plañidera…"

Movimiento. Cambio. Libertad. Sucesión de sucesiones todo es sucesión, y cada sucesión es suceso único, momento.

Ama el momento. Todo amor que dura es odio.

Queremos la duración, deseamos la eternidad, porque queremos la cosa, la mismidad. Tenemos miedo de que el ser deje de ser, por eso necesitamos que todo dure y sobre todo el amor.

Porque el amor es un esfuerzo, una exigencia, una espera; por eso, para librarnos del amor, necesitamos declararlo eterno, encerrarlo en una caja fuerte de sentimientos y así nos podremos dedicar libremente al mundo serio de los negocios.

Así somos. Así nos gusta que el mundo sea y por eso decimos "así es el mundo".

Que todo dure. Sobre todo eso que es sentimiento, emoción, relación y corazón, alma, mundo interior. Que dure para siempre. El anillo en el dedo y la alianza para todas las eternidades.

Sólo un amor dura: el momento vuelto a vivir.
Que nunca vuelve, que siempre es nuevo.

Amar es difícil, hijo mío. Fácil es la camiseta con la palabra LOVE; difícil es quitarse camisetas impresas y decidir desde la desnudez, la auténtica relación con el prójimo.

Lo miro: este hijo de hoy no es el hijo de ayer. Lo recuerdo pequeño en el parque, en la playa, en el llanto, en el sueño. No es el mismo. No es el mismo de ayer a la tarde. Es el mismo individuo, el mismo ser biológico, pero está hecho de momentos.

Me miro, te miro: no somos los mismos.

Cada momento merece la vivencia, la visión, la percepción de ese momento.

Nosotros y nuestros momentos. La per-duración es la telaraña imaginaria que tejemos entre esos momentos.

Preferimos, para nuestro descanso, cosificar los momentos, los amores, la pareja, los hijos; encerrarlos en gavetas de definiciones y, cuando alguien produce un *momento de novedad*, que en lo humano vital es *genialidad*, quizá nadie lo absorba, porque nadie lo espera, y uno está disponible a percibir solamente lo rutinario.

Un teólogo francés, Etienne Charpentier, comenta el texto evangélico donde se narra cómo los soldados seguían cuidando el sepulcro de Jesús a pesar de que estaba vacío. Otros se dedicaron a buscar los sudarios, las sábanas en que estaba envuelto. ¿Qué custodian, qué buscan?

La seguridad, dice Charpentier.

"Muchos queremos seguir allí, con los militares romanos... conservamos un sepulcro muerto, unas estructuras ya vacías..."

Conservar. Tener. Seguridad. Algo. Algo. Algo.

La vida, sin embargo, no consiste en algo sino en alguien.

La vida es duración, intensidad y renacimiento.
También rutina, por cierto. Sin rutinas no podríamos vivir. Vivir solamente con rutinas es vivir sin sentido. Algo es rutina. Alguien, un milagro.
Decía Saint Exupéry:

"¡Qué poco ruido hacen los verdaderos milagros!"

Te miro, lo miro y me digo: un milagro.

Historia de un padre que perdió a su hijo y lo recuperó

Dios puso a prueba la fe de Abraham y le ordenó que tomara a su hijo único, Isaac, y lo llevara —en camino de tres días— a un monte y allí lo sacrificara.

Abraham acató la voz divina y cuando estaba a punto de sacrificar a su hijo un ángel celestial detuvo su mano; y en lugar de su hijo sacrificó un carnero.

¿Por qué esa orden? ¿Que un padre sacrifique a su hijo para demostrar el amor a Dios? ¿No es algo indigno del Dios monoteísta y de los profetas de la ética?

Ésta es una parte de una historia mayor. Es la historia de un hombre llamado Abraham y de su mujer Sara, que hubieron de dejar su tierra natal y fueron a una tierra desconocida (Canaán) por invitación de Dios, para un destino superior. Cuando llegaron a esa tierra, Abraham encontró la bendición en la economía, en sus bienes y en sus haberes. Pero hijo no tenía. Él y Sara se sentían destruidos. Creía en Dios y quería un hijo.

Sara, en un momento de desesperación, le pidió a su esposo que se acostara con la concubina (egipcia) Hagar para darle un hijo. Creía que podría adoptar ese hijo. Nació Ishmael, pero ni se adaptó ni fue adoptado. Hijo de Abraham, sí, pero no de Sara.

Después quiso Dios que la anciana Sara tuviera su hijo Isaac. Hubo odios y rencores entre el hijo de la sierva y el hijo de la señora. Finalmente —la Biblia, lo cuenta todo— el hijo de la sierva y su madre fueron expulsados al desierto, donde Dios se apiadó de ellos.

Volvamos a Isaac: ¿Cómo fue la alegría de esos padres? *Muy grande.*

¿Cuán grande? ¿Cómo se mide?

Tan grande como el banquete que hicieron cuando Isaac fue destetado.

Vino entonces la gente importante de la comarca, los vecinos, los amigos. Gran fiesta.

Dicen los comentaristas que la gente de la zona no creía que Isaac fuera el hijo de Abraham y Sara, ancianos ambos. Por eso organizó Abraham tamaño festejo. Quería que todos asistieran y vieran con sus propios ojos el retoño de su propiedad; era suyo, no de otros.

Y todos vinieron y vieron que "amamantaba hijos Sara". ¿Hijos? ¡Si tenía uno solo!

Explican los estudiosos del tema que Sara, para desmentir infundios, no se limitó a publicitar su leche materna con su hijo Isaac, sino que tomó otros niños de otras madres y también a ellos alimentó. Por eso está escrito "amamantaba hijos Sara".

Una historia donde entran a funcionar los resortes más elementales de la maledicencia, la competencia, los celos, la envidia, la venganza.

Ése era el motivo del banquete: un acto social de demostración de paternidad, maternidad y poder. El hijo, añorado, soñado, rezado, fue olvidado. Ya lo tenían; ya estaba en casa. Ya no era problema. Era cosa. Algo que se tiene, que está, que se encuentra, que dura, como un mueble.

Es entonces que Dios convoca a Abraham *para que se desprenda de esa cosa llamada hijo.*

> *Si tanto necesitabas un hijo, un milagro, ahora que ha sucedido no puedes hacer de él una crónica de alta sociedad con la sonrisa del bienestar conquistado y apaciguado.*
>
> *Un hijo, Abraham, no se tiene. Cosas sí, hijos no.*
>
> *No, al menos, los hijos nacidos de la desesperación y de la plegaria.*
>
> *Algo está fallando Abraham. No necesitas a ese hijo, aparentemente. ¿Sabes qué? Tómalo y llévalo a ese monte, y sacrifícalo... despréndete de él.*

Tuvo que perderlo para recuperarlo.

Había que despertar a Abraham...

"Recuerde el alma dormida."

Recordar, en puro latín, es despertar. La rutina de lo dado produce letargo.

Ocurren cosas para que uno despierte de las cosas.

El camino hasta el monte del sacrificio era de tres días. Tres días para la reflexión, para despertar el alma dormida. Tres días lejos del bullicio, de la fiesta, del qué dirán.

Solos, padre e hijo, en el camino. Oportunidad para reencontrarse, reconocerse.

Primero lo perdió entre banquetes y tantas alienaciones que la calle exige. Entonces le dijo Dios que terminara de perderlo.

Hay que perder para reencontrar. Para eso sirven las crisis. Tiembla el suelo bajo tus pies y eso te obliga a mirar el camino, te fuerza a pensar.

Entonces le dijo Dios: Devuélveme este hijo que te sobra.

73

Milagro de recuperar lo perdido, de pensar, de revivir. Ahí en el camino se produjo el milagro de padre e hijo, solos, juntos.

"Qué poco ruido hacen los verdaderos milagros."

Nadie sabe a ciencia cierta quién es el protagonista de este relato, si el padre o el hijo. Necia pregunta: la trama es siempre de dos.

Al final sacrificó Abraham —por orden de Dios— un carnero en lugar de su hijo.

¿Por qué un carnero? Porque de su cuerno se hacía un instrumento para despertar a la gente de su letargo.

Las peras del olmo

Dice Octavio Paz:

"Todos nos enamoramos, pero sólo Garcilaso convierte su amor en églogas y sonetos."

Y agrega:

"Sin Lepanto, Italia, el cautiverio de Argel, la pobreza y la vida errante en España, quizá Cervantes no hubiera sido lo que es; pero muchos de sus contemporáneos vivieron esa vida y, sin embargo, no escribieron el Quijote."

Revisemos con Octavio Paz esa tendencia que tenemos de jugar a la ciencia y a saber por qué alguien hizo lo que hizo o es como es, ese gusto por simplificarlo todo con dos frases de psicología mágica.

Esas consideraciones estereotipadas impiden apreciar, en la existencia personal, en la vida esa que se mueve junto a nosotros, la de nuestros hijos, los momentos que

74

sobresalen y que no pueden ser reducidos a explicaciones.

"El artista transmite su fatalidad (persona o historia) en un acto libre. Esta operación se llama creación…"

Paz habla del artista del arte, del artista de las obras, el que produce cuadros, poemas, novelas, música.

Mozart, por ejemplo. O Sabato. O Van Gogh. Cada uno cuenta con su vida, cada uno dispone de su obra. Conocemos elementos de la vida de Mozart. No explican la obra de Mozart.

Hubo muchos que tuvieron experiencias similares a las de Cervantes y sin embargo no escribieron el Quijote. Lo mismo vale para todas las generalizaciones vacuas, vistas desde lo inverso: los que son drogadictos aunque provienen de buenas familias; los que no son drogadictos aunque provienen de circunstancias familiares dramáticas.

Conviene dejar de saber tanto y de explicar tanto.

Más vale retornar al misterio de los momentos que surgen sin causa, sin premeditación, sin programación y sin propósito de lograr algo definido.

Paz habla de obras. Yo hablo de la vida como poesía, como creación, que es la presencia de lo extraordinario.

No la orquídea, sino la margarita repentinamente vista en la totalidad de su ser, fuera de la botánica, de los libros y de las citas de enamorados en busca de su destino.

Desde luego, somos hijos de la infancia, de la adolescencia, del medio, del hogar, de la circunstancia, del *status*, del grito, de la palmada; hijos de nosotros mismos. Sin embargo, con todo eso a cuestas, *elegimos ser*.

Ése es el punto de la incógnita. Ése es el cruce del momento: la creación, lo insólito, lo impredecible. Ésa es *la pera del olmo*.

Acerca del poema expresa el autor mexicano:

"El poema no quiere decir, *dice*."

No le preguntes al poeta qué quiso decir.

No interrogues al pintor indagando qué quiso expresar.

Lo que vale es lo dicho, la expresión.

La vida es expresión: o se dice o no se dice.

Cuando se distingue entre querer decir y decir, ello equivale a la disociación entre ser y estar.

Las dimensiones que no coinciden parecen dar derecho a una esquizofrenia con la que se puede manipular al otro y justificarse a sí mismo.

"Tuve un arrebato y te golpeé, te insulté. No quise hacerlo." Querer decir no es igual a decir. Ni querer hacer es igual a hacer. Pero el que dice algo, quiso decirlo. El que hace algo, quiso hacerlo. Ése es el mínimo sustrato de una ética de la autenticidad y de la responsabilidad en la que debemos criarnos, nosotros y nuestros hijos.

"El poema no quiere decir, dice." El hombre no quiere hacer, hace. De su hacer se infiere su querer.

Ni le pregunto al escultor qué quiso expresar en su mármol, ni le pregunto a mi hijo si me quiere, ni a mi esposa qué me quiso decir cuando dijo…

Está a la vista, o al oído, o al olfato.

A menudo no nos quedamos en el "dice", en el "hace" y nos desbarrancamos hacia la especulación acerca del inconsciente y sus varios disfraces.

En el afán, ya perverso, ya pedante, de averiguar qué quiere decir el otro, no oímos y menos escuchamos lo que dice, lo que está diciendo.

Somos lo que estamos siendo, haciendo.

Descubrir ese estar en su plenitud es recrear la realidad hundida hasta este momento bajo el fárrago de la repetición o de las ideas preconcebidas.

Hay que concebir la realidad, engendrarla.

Eso es el momento. Tú, tu realidad, tú en calidad de real; no la idea previa que de ti tengo; tú, esa impresión que se me hace expresión en cuanto vitalidad comunicativa.

Es cierto que todo es intercambio, negocios, carrera, éxito, competencia. Pero también es cierto que existo, que pienso, que siento, que puedo sentir, que puedo sacudirme de tanta escenografía pegajosa y arrancar de piedras ajenas una chispa de libertad propia, en el encuentro, en el momento.

Sería poesía. Que no se escribe, que no se sabe. Que se vive. Octavio Paz sostiene:

"La poesía es una de las formas de que dispone el hombre moderno para decir NO a todos esos poderes que, no contentos con disponer de nuestras vidas, también quieren nuestras conciencias."

No todos somos Garcilaso, también es cierto. Ni es necesario que lo seamos. De la poesía escrita hay que pasar a la poesía vivida, convivida, que es, insisto, lo extraordinario dentro de lo ordinario.

Para ello estamos todos dotados. Pero, como las vetas del mármol frente al escultor, hay que descubrirse y desnudarse de tanto prejuicio que oficia de armadura.

En el siglo XX, que está culminando, se da la disolución de todo lo sólido. Las obras que perduran se han esfumado. Se está acabando la eternidad.

Habrá que aprender a vivir momentáneamente, sin obras grandiosas. *La vida es la obra. Vivir se ha vuelto un arte y cada uno está llamado.*

A ese llamado, los latinos le decían *vocatio*, "vocación" en castellano.

Almafuerte insinúa que el gran misterio no está en el universo sino en nosotros mismos:

"Yo miro el universo pasar delante
como a pelusa tonta, sin que me asombre:
soy profeta, soy alma, soy como el Dante...
¡Yo no siento más vida que la del Hombre!"

La verdad, toda la verdad

A los hijos hay que decirles la verdad. Se les dice la verdad. Sí, ¿pero qué verdad y acerca de qué?

Les contamos, por ejemplo, cómo se inició el mundo. Les hacemos saber que la historia bíblica es un mito y que la verdad es otra, la científica, y ésta dice que el mundo nació del Big Bang, una gran explosión que luego fue dando lugar a la conglomeración de cierta materia de la que se hizo nuestro mundo, donde germinó la vida, que dio lugar a los vegetales, y luego a los animales, que nacieron en el agua, que luego se transportaron a la tierra, y las aletas se hicieron alas y los peces se tornaron aves, y después de muchos cambios llamados evolución aparecieron unos monos grandotes que un día se hicieron inteligentes y se fueron transformando en nosotros que somos los hombres, el punto más alto de la evolución.

Éste es el cuento que contamos en lugar del otro cuento; al otro le llamamos cuento y a éste le decimos verdad, ciencia.

Hay un test que se le hace a un chico de 7 años:

Entrevistador: "¿Cómo fue el origen de la vida?"
Niño: "¿Qué quiere decir origen?"
—El principio de la vida.
—¿Qué había, me querés preguntar?
—Sí.
—Y, al principio había tierra y cielo y en la tierra había mucho lío, estaba todo muy desordenado.
—¿Qué es lo que estaba muy desordenado?
—Todo, la Tierra estaba muy caliente, tenía que enfriarse, tan caliente que no se podía caminar.
—¿Quién no podía caminar?
—Las personas y los animales.
—¿Y de dónde salieron esas personas y animales?
—Algunas personas salieron de los simios y otras de Adán y Eva.
—¿Qué son los simios?

—Son como los orangutanes.

—¿Y cómo una persona puede salir de un orangután?

—Y, al principio se parecen más a los orangutanes y después se van pareciendo más a las personas, cuando caminan en dos piernas, ya son personas.

—¿Y por qué algunas personas salieron de Adán y Eva?

—Porque se casaron y tuvieron muchos hijos.

—¿Y los animales de dónde salieron?

—La maestra dice que del agua, como los dinosaurios pero ahora se achicaron y a algunos dinosaurios les salieron alas y otros viven en las piedras.

—¿Y el desorden que había en la Tierra ya se arregló?

—Sí, porque Dios puso orden.

—¿Qué hizo para poner orden?

—Se enojó, mandó mucha lluvia, todos tuvieron que entrar en un barco, los malos se murieron y la Tierra se enfrió.

—¿Quién es Dios?

—Un señor que no se ve, ni se toca y tampoco se lo puede dibujar.

—¿Y cómo nació Dios?

—Dios está de antes.

—¿De antes de qué?

—De que se creara la Argentina.

—¿Todo esto que me contaste pasó en la Argentina?

—Claro.

(Tomado de J. A. Castorina y otros, *Psicología Genética*, Ed. Miño y Dávila, Bs. As., 1986; págs. 87-88.)

El niño del test es sumamente coherente. Escuchó *dos cuentos* y, como no pueden contradecirse, los ensambló en una unidad. Le parece perfectamente racional que Dios exista, que haya existido siempre y haya ordenado el Big Bang y apareciera para dilucidar distintos problemas y resolverlos. ¿Dónde? En la Argentina, por supuesto.

¿Qué verdad es ésta, la científica, que se transforma en cuento?

La verdad es para el que la sabe. El que toma una verdad y la repite, la está contando y la cuenta a otro para que el otro la repita.

Está narrando algo. Él mismo, el narrador padre, madre o maestro o tía, no sabe esa verdad: la tiene por aceptada, por consagrada, y en consecuencia adhiere a ella como a dogma. Sabe que es verdad, pero no la entiende científicamente hablando.

Dogma, dijimos. Los dogmas son mitos.

Quiso el narrador, el educador, zafarse del dogma religioso y recayó en él: otro dogma, el cuento del Big Bang. *Un cuento por otro.*

Aldous Huxley en su utopía de *Un mundo feliz* (volvemos a recordarla) plantea una sociedad futura programada en todos sus aspectos y organizada científicamente en lo educativo, donde la hipnopedia —enseñanza a través del sueño, del hipnotismo— sería la mejor arma para insertar ideas en las cabezas de los educandos. El sistema funcionaría más o menos así:

"Cien repeticiones tres noches por semana, durante cuatro años. Sesenta y dos mil cuatrocientas repeticiones crean una verdad."

La ironía es evidente.

Repetir no es respetar la verdad, es ser un autómata.

El niño del test elabora los cuentos. Para él todo es cuento. A su edad la vida es cuento, la experiencia es cuento, la sensibilidad es cuento.

El alimento de nuestros hijos, en su primera infancia, no puede ser sino cuentos. Lentamente va avanzando la mente hacia la abstracción de la ciencia y para ello necesita crecer hacia lo objetivo que es, precisamente, el reconocimiento de un mundo que tiene existencia propia e independiente fuera del sujeto.

IV. Elogio de la diferencia

Somos cañas pensantes

Somos cañas pensantes, decía Pascal.

No sé cuán pensantes somos, pero lo de cañas nos cae bien. Endebles, movedizas, a merced de los vientos. Y lo peor es que pretendemos producir robles firmes y estables.

Transmitimos lo que somos: inseguridad, debilidad, cuentos contradictorios de valores contradictorios.

El domingo es el día del Señor y los otros seis días de la semana contienen el mensaje de discordia, lucha, competencia, conquista.

La vida es mito, y esa verdad no la decimos.

No la decimos porque no la conocemos, porque preferimos evadirla y no tomar conciencia de los mitos que nos dominan.

Decimos felicidad *pero* queremos hijos inteligentes, exitosos. Y no es lo mismo.

Decimos bienestar *pero* pensamos en electrodomésticos, viajes al exterior, *status* social. No es bien-estar. Hay mucho mal-estar en tanto bienestar, sugería Freud.

Para nuestros hijos deseamos lo mejor. Por dinero, por título, por algún tipo de logro excepcional, han de alcanzar el bien mayor, el reconocimiento de los otros.

¿La verdad?

La hipnopedia que la sociedad y sus medios practican nos incrusta en la mente las verdades que *debemos* tratar con nuestros hijos si queremos ser científicos y modernos.

Las verdades en la vida misma se aparecen como mitos,

como dogmas fanáticos, y quien no se someta a ellos merece el infierno del desprecio. Los mitos no se discuten cuando tienen forma de verdad, y apariencia de ciencia.

Por otra parte, relegados al menosprecio están los otros mitos, los auténticos, los que albergan los sueños y las aventuras del espíritu humano; ésos contienen otra fuerza, que no es la del garbanzo floreciendo bajo el secante para formar el espíritu científico del niño. Concitan el fuego de la inspiración, del significado particular que en cada uno produce una resonancia distinta. Adán, Eva, el paraíso; Prometeo; Don Quijote; Ulises...

De este tema hablaba Ortega y Gasset en 1920. ¿Qué es lo que quieren los padres modernos para sus hijos? Racionalidad, eficiencia, realidad, verdad. Hechos, y no cuentos. Ortega se atreve a decir:

> "Para mí los hechos deben ser el final de la educación; primero mitos; sobre todo, mitos. Los hechos no provocan sentimientos."

Oíd, padres y madres; los hechos en sí y por sí nada son, nada provocan.

Hay que transmitir significados, no hechos.

Una educación de hechos, fríos, escuetos, neutros hechos, aspira a la adaptación.

Adaptarse al medio es el gran ideal de todos los que quieren ser nadie.

Los padres sueñan con tener hijos bien adaptados. La adaptación como principio capital del crecimiento significa cercenamiento de lo más propio que tiene el individuo. Adaptarse, en cuanto gran fin y mayor anhelo, es la búsqueda de una superficial seguridad aprobada por la voz de los otros.

Ortega entiende que educar es dejar que el individuo despliegue sus alas más propias, que han de ser en principio in-adaptación.

En vez de adaptar el niño al medio, la prima educación debe consistir en adaptar el medio al niño.

Toma, hijo, del medio lo que necesites para que puedas desarrollar lo tuyo.

"En lugar de apresurarse a convertirnos en instrumentos eficaces para tales o cuales formas transitorias de la civilización, debe fomentar con desinterés y sin prejuicios el tono vital primigenio de nuestra personalidad."

Todo es transitorio; también la civilización con sus valores es transitoria.

¿Qué podemos estimular?

El entusiasmo vital, el gusto por vivir y crear, el sabor de lo particular y de lo diferente.

El uno mismo de uno mismo.

¿Y si te preguntan: para qué leer?

Nuestro siglo se caracteriza por la posibilidad de cuestionar cualquier cosa. Lo más santo, lo más indubitable, puede ser convocado hoy al estrado de la razón y debe responder. Lo obvio ha desaparecido.

Nuestros abuelos tenían en común cierto sistema de respuestas. Nosotros tenemos en común una abigarrada fuente de preguntas irreverentes. Como ser: ¿por qué leer?

En los vetustos claustros pedagógicos del norte se hablaba del *trivium*, las tres vías fundamentales que el hombre debía recorrer para llegar a ser humano, y juguetonamente las definían como las tres "r": *read* (leer), *'rite* (escribir), *'rithmetic* (aritmética). *Las tres son hoy perfectamente prescindibles.*

La aritmética está concentrada en aparatitos y toda criatura de más de cuatro años aprende a manejarlos.

La escritura directamente sobra. El teléfono y la cinta grabada permiten una fluida y connotativa comunicación.

Incluso cuando el individuo camina solo por la calle ya

no está condenado a hablar consigo mismo; ahora sostiene un teléfono y, mientras mira vidrieras u otras atracciones, camina y habla...

Del mismo modo la lectura, si para algo servía, paulatinamente parece deslizarse hacia el acervo de lo inútil que la cultura milenaria suele atesorar. La radio y la televisión, los carteles y los signos codificados, nos hablan veinticuatro horas al día sobre cualquier tema.

La lectura aparentemente sobra. Es innecesaria.

A menos que falte. Quiero decir que "haga falta".

Siempre me impresionó esa sencilla copla:

> "Soy de Salta, y hago falta."

Responde al sentido de la vida. Hacer falta es tener sentido, servir para algo, para alguien. Ser necesitado, ser necesario.

La lectura debe proporcionarme *algo* que otros no me ofrecen. Entonces me hará falta. Entonces leeré. Me haré tiempo. Abriré espacios en mi organigrama.

Hay elementos que los expertos en *marketing* desconocen: *la crisis aviva la llama de la conciencia humana*.

Este hombre finisecular que somos nosotros, el de la crisis perpetua al propio tiempo que corre gregariamente por la ruta 2 a Mar del Plata en cualquier fin de semana largo, está carenciado —y lo sabe— de profundidad, está necesitado de sustento raigal. Viaja adonde todos viajan añorando los mariscos que el inconsciente colectivo le impone como deber kantiano, pero ante la chance de que Febo no asome, el Casino esté en reparaciones, el frío azote, entre tantos pertrechos lleva en más de una oportunidad el último *bestseller* argentino, un Camus recién recomendado y descubierto, o algo de Ray Bradbury.

La ambigüedad es nuestra madre primera y no nos abandonará jamás. A mayor crisis mayor ambigüedad. Tanto más aborregados por una parte y tanto más pensantes —aunque sea en breves *lapsus*— por otra parte.

Ahora ya podemos responder a la pregunta inicial: *¿por qué leer? Para pensar.*

Tendido al sol entre multitudes de veraneantes en la costa, soy nadie. Un grano de arena sobre la arena.

Si leo, pienso, caigo en la abstracción que la palabra escrita puede suscitar en mí, pienso, imagino, medito, yo solo frente a esa línea de caracteres impresos, algo totalmente mío, con la palpitación de mi yo único, incompartible, reflexiono, me flexiono sobre mí, estoy inmerso en el mundanal ruido y sin embargo fuera de él.

No soy capaz de huir, porque me encanta la playa, la ruta 2, el infinito de los autos, marchando a veinte por hora, el asadito en el camino, esa felicidad de ser como todos y con todos, todo eso me fascina y no puedo prescindir de rutinas santas. Pero un poquito me evado, con mi página de lectura; por dentro lloro, o río, o me estremezco, o me encandilo, o me excito, y eso es mío, solamente mío.

¿Por qué leer?

¿Para qué leer?

Para tener algo de privacidad. Eso sí hace falta.

Leer para pensar, eso me hace falta: pensar. Repensar. Que la lectura ilumine algún sector de mis lóbulos frontales, que se produzca un destello que me arranque de la rutina aplanadora. Algo que me haga pensar a mí, a mí. Un esbozo de novedad que encienda en mí el reflejo de *otra* posibilidad. Aludo al movimiento del ser interior dirigido hacia *cualquier tema*. Ese movimiento es lo que vale. Ahí es donde el viajero de la ruta automática despierta y descubre *otra* imagen de las cosas.

No importa qué cosas. Serán siempre las cosas que más le interesan. El tenis, o el ajedrez, o la ecología, o los seres del sexo opuesto, o la Casa Rosada, o los OVNIS. *Otra* visión. *Otro* enfoque.

La televisión, la radio, el afiche pueden deslumbrar

enseñando nuevas modalidades de percepción. Pero precisamente porque esa enseñanza es de tipo *imprinting*, establece la única manera que tienen los *mass media* para comunicarse: la impresión de reflejos condicionados. Entonces el individuo capta, asimila y luego repite. No piensa. No está solo. Está encerrado tal vez, en su altillo, pero comparte la visión o audición con millones de seres, pasivamente.

No existe el pensamiento colectivo. Hay, eso sí, repetición colectiva y asimilación colectiva de frases hechas con aire de pensamiento.

Los tiempos cambian. Antes había que leer para tener cultura, como se decía. Hoy los chicos de los secundarios, cuando cargan con la tarea de leer algún clásico o novela famosa, corren al video-club (yo lo he presenciado, porque también soy socio de esa institución capital en la vida contemporánea) y preguntan si hay un vídeo de esa obra. Los jóvenes de estos tiempos videalizados son expertos en Zeus, Afrodita, Marte, Troya, Ana Karenina, Napoleón, Martín Fierro, Shakespeare, y todo lo que quieran, sin haber rozado con sus ojos textos de historia o de mitología o literarios.

En consecuencia, el mensaje alentador ya no puede ser el mismo que fue.

No hay que leer para tener cultura, sino para tener otra cosa. Lo *otro*. Eso que no proporciona el vídeo, ni el cine, ni la radio, ni el *walkman*.

Eso otro es el encuentro consigo mismo a través de la letra.

Para la activación de la mente propia que, sola ante la palabra estética y estilizada, reduce el vértigo de las sensaciones y se ve forzada a meditar, a degustar, a componer dentro de sí los significados que de los significantes pueden desprender.

Es el pequeñísimo sector que le queda al yo si quiere tener algo de sí mismo.

Ese trabajo de uno dentro de sí termina produciendo placer. Quien lo probó lo sabe.

Todo esto puedes explicarles a tus hijos.

Pero ninguna respuesta será válida para los hijos si no la encuentran realizada en la corriente vida de sus padres.

Quien lo probó lo sabe.

Meditación del egoísmo y del altruismo

Según Stendhal no se puede plantar un árbol a solas; hay que plantar conjuntamente todo el bosque.

La imagen es sugestiva. ¿Cómo seré yo si no eres debidamente tú? Y viceversa.

En consecuencia hemos de aprender que, ya que no fuimos plantados todos juntos, puesto que unos nacemos después de otros, y nos criamos en épocas distintas, tenemos diferentes raíces y probablemente hemos de producir distintos frutos.

De eso se infiere: dejemos que crezca cada uno en su diferencia y con la correlativa indiferencia de los otros.

Otro autor francés, André Gide, imagina que el bosque tiende a oprimir a cada uno de sus miembros. Ese apiñamiento impide que uno crezca como quiere o podría crecer. Diversas ramas, potencialidades, se cercenan por presión de la sociedad de los árboles, llamada bosque. El místico es aquel que, al no poder desarrollarse debidamente hacia sus costados, lanza una rama hacia arriba, hacia Dios, y por ahí se evade de tanta presión-prisión, ambiental.

Si se autorizara, si se estimulara, todo hijo podría tener momentos de misticismo, de evasión hacia arriba, hacia algún arriba propio.

La rama mística es la rama poética. El momento creativo, la singularidad de una mirada.

Para ser creativo no es menester crear algo. Basta con *crearse*, con hacer de la vida una fuente de sabor único.

Procrear es natural, es del orden de la naturaleza.

Crear es lo humano propiamente dicho; es del orden del sentido de la existencia.

Los hijos son el fruto natural de la unión humana, la fusión entre lo masculino y lo femenino. Ni el progenitor es padre, ni el procreado es hijo. Padres e hijos tienen que crearse, recrearse, entre sí. Y toda la vida.

Esos frutos naturales que son los hijos despiertan amor, también odio, celos y otras pasiones. Porque son otros.

Generalmente nos convencemos de que ser padres es vivir para los hijos, sacrificarnos por ellos, trabajar para ellos y brindarles lo mejor de nuestra existencia. Ese discurso del altruismo está *demodé*.

El gran matemático G. H. Hardy en su autobiografía, rechaza la idea esa que tenemos de los sabios y los científicos, como gente que se dedica a sus estudios por amor a la humanidad y para hacerla progresar o salvarla de males varios.

Explica Hardy:

"Quizá sea preciso sentir, una vez culminada la propia obra, que con nuestro trabajo hemos contribuido a aumentar la felicidad o a aligerar los sufrimientos de nuestros semejantes, pero ésta no puede ser nunca la razón por la que la hemos emprendido. Así pues, si un matemático, un químico o incluso un fisiólogo, intentan decirme que la fuerza motriz de sus investigaciones ha sido el deseo de beneficiar a la humanidad, no creeré en sus palabras."

Según Hardy, tres motivos fundamentales empujan a un hombre a proseguir sus investigaciones:

— La curiosidad intelectual.
— El orgullo, la ansiedad por el éxito.
— La ambición de mejorar su propia vida.

Eso, y no el altruismo.

Pasteur, Picasso y Beethoven eran yoes ambiciosos, deseosos de alcanzar su propia meta y de satisfacerse en ello y encantados finalmente de recibir el aplauso público.

Del mismo modo, el altruismo de los padres por los hijos es amor propio.

Ser padres es darse el gusto de ser padres. De modo que la relación padres-hijos no puede establecerse sobre pilares de frases hechas acerca del altruismo.

Al hijo se le dirá la verdad sólo y tan sólo cuando uno aprenda a decirse la verdad acerca de sí mismo.
Y la verdad es que somos ambivalentes, plurivalentes.
La contradicción es lo que más en común tenemos.

Hijo mío, cuando te canses de los enciclopedistas que saben todo de todo y la receta a aplicar en cada caso, acude a los poetas. Los poetas conocen el misterio del infinito que se alberga en cada persona, su pluriverso hecho de jirones de sentimientos contrapuestos y paradojas amalgamadas.

Lee, por ejemplo a Catulo que milenios atrás decía la verdad, toda la verdad cuando escribió:

"Odio y amo.
Tal vez preguntes cómo
es eso posible.
No sé.
Pero así lo siento.
Como si me crucificaran."

El idiota de la familia

Catalogamos a los hijos en el archivo de las obras de uno y queremos que ellos no nos defrauden, que el ego progenitor pueda envanecerse con ellos y mostrarlos en sociedad como el artesano muestra sus vasijas y el genio sus esculturas.

Los padres esperan que los hijos produzcan frutos que se coticen favorablemente en el mercado.

Los padres se encuentran en el consultorio del dentista, en la playa, en el tren, y hablan de sus respectivos hijos, muestran fotos, añaden credenciales, cuentan anécdotas y generan una tensión competitiva de mercado esgrimiendo a los hijos como cartas ganadoras, como tantas cosas que uno tiene y enarbola para aplastar al prójimo en su autoestima.

Nadie quiere tener un hijo idiota. Los hijos son para lucir. En griego *idiotés* indicaba el individuo que tenía una particular *idio*sincrasia. El que era distinto de los demás, el excepcional. Hoy se ha vuelto insulto.

En la sociedad utópica *Erewhon* el genio es el idiota:

"Consideraban el genio de igual manera que los delitos: es preciso que surja, ¡pero desgraciado de aquel en quien se manifieste! El deber de todo hombre, según ellos, es pensar lo mismo que sus vecinos... Realmente, no veo en qué difiere la teoría erewhoniana de la nuestra; ya que la palabra idiota no significa otra cosa sino el que forma sus propias opiniones."

El genio es un idiota: un excéntrico.
La genialidad suele ser un rapto de inadaptación.

Cuando los padres dicen que quieren lo mejor para sus hijos, quieren que sus hijos estén bien adaptados, que sean como todos y no como *los idiotas*, esos que no aplauden al unísono con todo el mundo.

Los buenos hijos son los simpáticos, los que siempre dan la mano, los que pliegan y despliegan la servilleta como se debe, los que nunca dejan de saludar y los que sacan buenas notas y tienen amigos y se abrigan en días destemplados.

Los hijos que no entran rigurosamente en estos cánones serán contemplados como fallados.

El hijo bueno es el hombre mediocre, sin exuberancias, sin exaltaciones.

A propósito, el ideal de la mediocridad es antiguo y lo planteó Aristóteles en su ética: el mejor es el camino intermedio entre los extremos.

En latín a ese camino le decían *aurea mediocritas*, mediocridad de oro, esa línea equidistante de los polos opuestos, *el justo medio*. En los extremos están las pasiones; en el medio transcurre la razón que las domina, como el auriga gobierna con las riendas a sus caballos que quieren desbocarse.

La *aurea mediocritas*, la mediocridad de oro, en cambio, implicaba un proceso de arduo pensamiento, de filosofía. Porque pensar, en latín, significaba pesar, sopesar. Estar constantemente en el fiel de la balanza midiendo, meditando.

Aristóteles no era un mediocre, por cierto. Ejercitaba la áurea vía media a través de una tarea racional insomne. Era por tanto un *idiota*, porque era él mismo.

Hoy hay pocos idiotas, si se me permite. Abundan, en cambio, los *estúpidos*; éstos son presas del estupor que es la anulación de las funciones mentales.

"El deber de todos los hombres —dicen— es pensar como sus vecinos…"

El ideal no es el justo medio, sino el ajuste al medio.

Cuando escucho que alguien comienza una frase diciendo "Yo pienso que…" quiero salirle al cruce y pedirle por favor que no lo diga en voz alta porque corre el riesgo de ser apedreado.

Pero no hay tal peligro ni existe tal necesidad de salvar a nadie. "Yo pienso" suele significar: yo repito.

El miedo a la inadaptación de los hijos promueve en los padres un temprano impulso a desestimar y desestimular cualquier conato de pensamiento propio.

Idiota será una de las primeras palabras calificativas

93

que el niño y la niña incorporan en su esquema vital. Y, para no ser llamados con esa palabreja u otra semejante, mostrarán que son inteligentes y dirán lo que todos quieren oír, y actuarán como todos quieren que actúen, y cuando sean grandes usarán ideas ajustadas, de fábrica.

Piensan, por lo tanto existo.

Existo, pronunciando ideas que no son mías, observaciones sobre política, o economía, o ecología, o sexología, que otros imprimen en mí.

El miedo a los hijos deriva del miedo a la sociedad.

La sociedad lo ordena todo. Desde el desayuno hasta el tipo de orgasmo que debo tener, y cómo debo pasear al perro.

Tú, hijo mío, eres la sociedad, es decir, el coro.

Lo genial del hombre es que también puede ser solista e, inclusive, desafinar.

El trabajo del amor

Acércate, mujer; hablemos de nosotros.

Tú y yo no coincidimos en todo. Y nos amamos. Amarse no es profesar los mismos credos ni decir las mismas frases ni adherir al mismo equipo de fútbol.

El amor dice: "pienso por lo tanto existes".

Es la presencia del otro como totalmente otro, pero como yo, conmigo; todas las otras vestiduras —pensamientos, ideas, gustos, cultura, ideales, principios— caen, se deslizan al costado, sin mediar u obstaculizar nuestra relación.

A menudo confundimos el amor con el enamoramiento. El *enamoramiento* tiene buena prensa y buena literatura. Es la situación excepcional, la eclosión del Eros, el "no sé qué" que se alcanza por ventura, el éxtasis.

X   *El amor* es la prosa. No tiene grandes frases y pocos se dedicaron a describirlo. Es la vida cotidiana, con sus altibajos, con sus colores del arco iris cambiante. Amar es considerar al otro por encima de estos cambios, errores, aciertos, independientemente de sus logros o eficacias.

Al eficaz se lo aplaude, se lo premia. Al que produce algún bien se le agradece, se le retribuye.

Al otro se lo ama. Al otro en plenitud. Y no es cosa de sentimiento solamente. Es plenitud de yo frente a plenitud de otro, pero es acto, conducta, hacer y quehacer para el bien del otro.

Amar es pensar.

Suena extraño, lo sé. Pero "el bien del otro" es tema complejo y requiere esfuerzo de investigación, pensamiento. Amarlo es pensar *en él*.

Nos educaron a *sentir* en la vida y a *pensar* en las matemáticas, en la fábrica, en los negocios.

Nos enseñaron que el *corazón* es para la casa y para las relaciones íntimas y la *razón*, para las frías relaciones con los otros, indiferentes.

Esa educación no nos trajo felices consecuencias. Gracias a ella sabemos compadecernos de Hiroshima, pero no alcanzamos a convivir dos personas en un recinto llamado hogar.

Fuimos mal educados.
Tenemos hijos mal educados.
Ella dice amor, yo digo amor; pero no decimos lo mismo.
Ella dice hijo, yo digo hijo; pero no decimos lo mismo.

Las palabras son iguales, no los sentimientos que ellas denotan. Además de sentir, hay que pensar. Los sentimientos son fugaces, como los enamoramientos. De esta fugacidad hay que tomar conciencia, saberla y, en conse-

...ia, decirse la verdad, y luego decir la verdad.

*Amar es pensar al amado.
Enamorarse es pensar en sí mismo.*

El éxtasis del enamoramiento es con el otro, por el otro, pero totalmente mío. Es, lo dice el vocablo, enamoramiento, en mí. *Me adoro en el amor a ti.*

¿Quién puede aleccionarnos al respecto mejor que Romeo? En la escena VI del segundo acto se expresa así:

"¡Oh, Julieta mía! ¿Participas tú de la alegría, de la inmensa alegría que llena mi alma?"

Romeo se siente inundado de dicha; pero nada sabe del alma de Julieta. Se pregunta si ella puede participar —tomar parte— de su alma, ser de él, en él, dentro de él. Absorberla completamente. Integrarla dentro de la prisión específica de su pasión. Egoísmo. Puro ego extasiado de sí mismo, gracias al otro.

Sólo el amor es altruista.

Se fija en el otro. Piensa al otro, para el otro. Quererlo es querer su bien, el del otro.
Eso es prosa, proceso, trabajo, tarea y hasta oficio.
El amor es difícil, como el pensamiento.
Lo que no se repite es difícil. Debo desprenderme de las recetas ajenas y quedarme solo para ver qué pienso, qué siento y qué eres visto desde mí, y desde ti.
Esto no se enseña, esto se aprende.
En el enamoramiento los cuerpos, las almas, los espíritus se entrelazan y pretenden fundirse en cierta unidad primigenia. De ahí el mito del andrógino: En el comienzo hombre y mujer eran un solo cuerpo. La fatalidad de la división separó nuestros cuerpos y nuestras almas pero volveremos a ser uno cuando nos encontremos y nos re-

96

conozcamos.

Enamorarse es enajenarse. Por eso es divino. Es perderse. Sólo los místicos conocen los gradientes más altos de esta situación de entusiasmo, que significa estar poseído de lo divino.

Ineludible es la cita de Juan de la Cruz que describe el arrobo del amor absoluto hacia el Absoluto. Cuando arriba al punto supremo de la realización erótica dice:

> "Quedeme y olvideme,
> el rostro recliné
> en el Amado,
> cesó todo y dejeme,
> dejando mi cuidado
> entre las azucenas olvidado."

Se trata del amor a Dios. Pero, ¿de quién habla el poeta, en quién piensa? ¿En Dios? No, en sí mismo.

Está enamorado…

El enamoramiento es un suceso. El éxtasis del gran olvido.

El amor es memoria, cuidado, preocupación.

Al amor, padres, hijos, hay que hacerlo y todos los días.

También aquí hay algo divino, pero entre cacerolas, zapatos, grageas, delantales.

El Butler de *Ewerhon* habla de esta religiosidad de la vida de todos los días, de entrecasa:

> "He conocido a muchas personas, muy piadosas, que poseían grandes conocimientos de teología, pero ningún sentido de lo divino; y por otra parte, he visto un resplandor en las facciones de los que rendían culto a lo divino, bien sea en el arte o en la naturaleza, en cuadros o estatuas, en campos, nuez o mares, en el hombre, en la mujer, o en el niño."

En el hombre, en la mujer, en el niño.

El esplendor está a la mano, brota de nosotros, se hace camino.

Había una niña llamada Momo...

Aunque la vista tiene predilecciones en nuestra cultura y preferimos por sobre todo *ver* a nuestros hijos, más vale *escucharlos*.

Escuchar compromete, exige que te vacíes de otras voces para asumir la novedad de este momento, de este mensaje, de este llamado.

Había una niña llamada Momo. Era muy querida por todos. ¿Cuál era la fascinación que ejercía?

"Lo que la pequeña Momo sabía hacer como nadie era escuchar. Eso no es nada especial, dirá, quizá, algún lector: cualquiera sabe escuchar.

"Pues eso es un error. Muy pocas personas saben escuchar de verdad."

Es cierto: muy pocas personas saben escuchar de verdad.

La mayoría quiere hacerse escuchar. Que el otro esté ahí y me deje hablar.

Dicen que es terapéutico dejar oír la libre expresión de uno, aunque sea caótica, delirante. La gente quiere hablar. Contar. Practicar "terapia".

Si el otro escucha o no, en realidad, se torna un tema accidental. El hecho es que esté ahí, del otro lado de la mesita de café, o en el auto, o en la verdulería.

Uno habla. Que haya otro al lado, eso es todo lo necesario en la vorágine del intercambio de monólogos.

Claro está que el juego consiste en que, no bien pierda yo el turno, o al menor suspiro de receso, de intervalo, el otro apriete su botón y lance al aire todos sus decires y sentires, y yo tendré que ser el otro de ese otro.

A eso se le suele llamar diálogo.

Pero no es diálogo.

En el diálogo no se intercambian palabras sino escuchas.

Momo sabía escuchar. ¿Cómo es ese arte, el de escuchar?

Escuchemos:

> "Momo sabía escuchar de tal manera que a la gente tonta se le ocurrían, de repente, ideas muy inteligentes. No porque dijera o preguntara algo que llevara a los demás a pensar en esas ideas, no; simplemente estaba allí y escuchaba con toda su atención y toda simpatía."

De lo leído se desprende que escuchar es una actitud que estimula al otro a desplegar sus inteligencias.

Escuchar es ayudar al otro a abrirse. Así entendía la función educativa Sócrates: cada uno tiene en sí la verdad. El maestro, el padre, la madre, el otro, debe ayudarle, como la partera a la parturienta, a darse a luz en la verdad.

Una vez que los hijos aparecen en el mundo hay que sostenerlos en su propio ser para que alumbren la verdad que van gestando dentro de sí.

V. La famosa crisis

Enfoque de la crisis

El siglo XX ha sido el siglo de la permisividad. Se suponía que la mejor manera de contrarrestar al viejo mundo autoritario era permitir, autorizar, condescender.

Por miedo a establecer principios, por miedo a coartar libertades. Por miedo a moldear la vida del hijo como si fuera arcilla maleable.

Por miedo a comprometerse.

Por miedo, y no por bondad, surgieron los padres permisivos. No por eso lograron diálogo, afecto. Más bien sucedió lo contrario: incomprensión, distanciamiento, desvíos y desvaríos, y mucho resentimiento recíproco, se cosecharon en el camino.

Ocurrió en el hogar lo que se dio en las clases de las escuelas. Las reformas contra la autoridad poderosa e imperativa engendraron hijos/alumnos omnipotentes *versus* maestros perplejos, progenitores indecisos.

La omnipotencia *versus* nadie se vuelve, finalmente, impotencia.

Sabemos que los miedos se disipan sólo a través del conocimiento. El conocimiento de sí, de las limitaciones, de las libertades, el conocimiento de ti, el conocimiento de él, nuestro hijo.

Si supiéramos cómo somos nosotros,

* dónde están nuestras escalas de valores,

* qué es prioritario y qué es secundario dentro de ellas.
* por qué luchamos auténticamente,
* con qué argumentos irreales encubrimos nuestra realidad,

si supiéramos qué somos nosotros entre nosotros, cómo respetarnos, y cómo crecer conjuntamente, dejando que el otro sea todos sus otros posibles, pero con plena conciencia de que estamos juntos y ello implica convivencia, aunque no uniformidad, amor, aunque no identidad de pensamiento ni de sentimientos, viviríamos más confiados.

El miedo se volvería confianza, fe en el aprendizaje de la relación dentro de la relación con los hijos, disponible para hacer lo que Momo sabe hacer: mientras escucha, *provoca la inteligencia del otro.*

Pero no hay confianza, no hay credibilidad. Hay crisis. El hombre contempla a sus hijos y se pregunta qué hacer con ellos. Los padres se miran y se interrogan acerca del futuro.

¿Qué es la crisis?

A Dios se lo llamaba, en el temprano cristianismo, *krités;* el crítico, el juez y el que produce la sentencia. Sentencia se decía *krisis.*

El mundo actual está en crisis, es decir está supeditado a que nosotros digamos de él qué es, a dónde va, de qué vale tener hijos y qué merecen ellos obtener de nosotros.

En la crisis nada está establecido y todo está por establecerse.

Cuando preguntamos por nuestros hijos preguntamos por el hombre.

Si supiéramos qué es el hombre, sabríamos qué es lo mejor para nuestros hijos.

104

En las crisis las definiciones clásicas deben ser revisadas.

Antes valían *los contenidos* de la educación: tales temas, tales conocimientos, tales libros, tales obras. Había que aprender —aprender a repetir—, y así se lograba ser culto, bien educado.

Hoy valen *los procesos* de la educación: el movimiento del aprendizaje.

En la actualidad lo valioso está en el proceso mismo, en el accionar de la mente en busca de sentencias (crisis) y valores. Un mundo de contenidos fijos y sacralizados es un horizonte de autoritarismo.

El nuestro es mundo de contenidos móviles y rechaza el totalitarismo de cualquier instancia considerada indubitable. Es un mundo iconoclasta; abate ídolos.

Somos acontecer; verbos. *Crisis de los sustantivos, de las fórmulas fijas.*

Sentencia, juicio. Tú debes emitirlo y pronunciarte. Ya no se trata de prometer, sino de comprometer, involucrarse en la promesa y hacerla compromiso.

Cualquier juicio que pronuncies te estará comprometiendo.

Inclusive el religioso tiene que definir su relación con Dios por cuenta y riesgo propio.

"El que reza hoy porque rezó ayer es un perverso", enseñaba el maestro Mendel.

Hay que revisarlo todo, y resignificarlo día a día, momento a momento.

Crisis, en este sentido, es *libertad*, que es *responsabilidad* y, por otra parte, indica un camino de *plenitud*: eres todo lo que te haces ser.

El paraíso, tan asequible, tan perdido...

En verdad el germen de la crisis viene desde el mismo Adán; su ser es la contradicción.

Creado por Dios, *pero* en la tierra.
Hecho por la divinidad, *pero* de barro.
Barro, *pero* con un soplo divino.
Solo, *pero* acompañado.

Ese hombre imperfecto, gracias a sus contradicciones básicas, *es* crisis; su esencia, su naturaleza *es* la crisis.
Está condenado a ser libre y a resolver los constantes nudos intrincados de su existencia problemática.

No tiene problemas; es problema.

"No es bueno que el hombre esté solo", dijo Dios, y en consecuencia nació Eva, y de ese modo surgió lo humano como pareja, como ser junto al ser.
Junto no es *con*, pero podría serlo. También podría ser *contra*.
El paraíso está hecho por dos que viven juntos y *se hacen felices*.
Pero el paraíso no satisface. Nada satisface, ni siquiera el paraíso.
Hay una ansiedad radical en Adán y Eva, en tú y yo, en nosotros, vosotros, ellos. Ésa es la ansiedad de crisis.

Queremos la crisis aunque deseamos la estabilidad.

Ahí están los árboles del huerto, gustosos en sus frutos, atractivos en sus colores, con las flores y los pájaros y las hierbas. Pero la ansiedad sugiere que falta algo. Un solo árbol, uno entre miles, ese árbol que es la crisis, ése es *el deseado*. Todos producen paraíso, pero ése sólo engendra

106

crisis. Ése es inevitable, es la tentación de la crisis, del cambio, del desorden.

¿Cómo no caer en la caída?

Ahí está también la culpa, la disculpa de la transgresión, la maravillosa culpa que fuerza al hombre al desvelo, a la meditación, al conocimiento de sí mismo.

Una vez que se obtiene la crisis, que es el desequilibrio, hay saber, pero el saber que te deja solo; el saber que produce progreso, dominio, poder, pero que te deja solo y obligado a repensar mañana a la mañana lo que pensaste hoy, a decidir, a ser culpable, y luego a huir de la culpa.

Serpiente anda por ahí, sigilosamente, promoviendo el saber, el poder, la conquista. El producto se llama crisis. Eva compra, encantada. Adán compra, embelesado.

Después resulta ser que lo que compraron fue la soledad definitiva porque ahora el uno quiere dominar al otro.

Los árboles, las flores, las mariposas siguen siendo los mismos, con el murmullo de las aguas de los ríos. Pero nos quedamos fuera del paraíso.

¿Qué deseamos tú y yo? Saber, dominar. "Seréis como dioses", dijo Serpiente.

¿Cómo resistirse a tanta tentación: ser como dioses?

Somos dioses. Cada uno quiere su propio altar, su propio templo, su propio sistema de dominación, sus propios adoradores. Tú y yo, como dioses, luchando para ver quién es más dios. Así son los dioses en el Olimpo: pelean, envidian, gritan, se matan por una pizca de poder.

Por miedo a perder el poder devora Chronos a sus hijos. Pasa en muchas buenas familias.

Cuando el poder es el valor superior no hay hijos ni esposas ni hermanos que valgan.

No obstante tú y yo, Adán y Eva, seguimos viviendo juntos y aparecemos juntos en sociedad y no cabe duda de que nos amamos y somos una buena pareja, porque nos somos fieles, porque tenemos una linda casa, salimos de vacaciones, dormimos juntos y tenemos hijos.

Uno se llama Caín, el otro Abel. Son hermanos, obviamente. Se educan, crecen a nuestros pies, heredan nuestra tradición.

Caín mata a Abel. Los motivos son aparentemente religiosos, ideológicos, idealistas. Piensan distinto acerca de Dios. En realidad quieren ser dioses, como nosotros, papá y mamá, Adán y Eva. Pero ellos progresan y son ya la generación de la crisis, no hay orden que los contenga.

Según Caín, si uno quiere ser como Dios, el otro sobra, por eso entiende que tiene que suprimir a su hermano. La coexistencia se torna existencia a costa del otro superado o suprimido.

El árbol del saber era —en el relato místico— generador del bien y del mal. Alternativo, lo uno con lo otro. Depende del consumidor de ese saber.

Ahora bien, la tendencia a ser como dioses es la única que nos lanza al saber, y en consecuencia su primer gran instinto inclina hacia el mal, que es la soledad.

No es bueno —por tanto es malo— que el hombre esté solo. El hombre *es* solo: pero se queda solo y ahí encuentra el mal. La necesidad de ser a costa del otro divide las aguas en el bien mío a costa del mal tuyo.

Así funcionamos los seres humanos. Porque así nos educaron. Así educamos.

Pero también declaramos que el amor es el principio mayor de nuestra vida.

Y, entre tanta contradicción, la crisis emerge y va creciendo a través de las generaciones hasta producir una de sus mayores eclosiones en nuestro tiempo.

Somos Adán, Eva, Caín, Abel. Los padres y los hijos.

Y la tentación serpentina. Y el paraíso tan asequible, tan perdido...

Los dos pilares contradictorios de Occidente

Maquiavelo —según explica Isaiah Berlin— puso de manifiesto la presencia de dos líneas en la estructura de nuestro sistema de valores.

Pertenecemos a dos sistemas éticos:

— el sistema cristiano
— el sistema pagano

¿Qué enaltece el primero? *Al hombre, a la persona*, a su ser íntegro; y particularmente al hombre interior, el de la voluntad autónoma, el fin de sí mismo: el sujeto que puede alcanzar lo absoluto, Dios.

Cada uno es Adán, único. Por eso hizo Dios un Adán y no varios. Para que cada hombre cuando nazca se sienta Adán, genésico, imprescindible, insustituible, impermutable. Por eso somos todos iguales, hijos de un solo padre, sostiene la doctrina de origen bíblico. Todo lo que se haga, por tanto, ha de propender al crecimiento de ese unomismo, personal.

En el sistema pagano, en cambio, todo suena diferente: El hombre es esencialmente animal político. Es miembro de la familia, de la sociedad, de la ciudad, de la patria, de su entorno. Lo bueno es aquello que beneficia a esa totalidad abarcadora.

Ella decide qué es bueno para él, y eso será lo bueno para cada cual. Si los tiempos cambian, si las circunstancias se modifican, cambian los intereses del grupo o del pueblo o de la patria; cambia consecuentemente lo bueno de ese momento. Los juicios acerca de los valores no son absolutos; son relativos a las necesidades de la sociedad.

En el modelo bíblico-religioso vale el sacrificio para salvar el alma, el hombre dentro del hombre.

En el modelo pagano vale la pena sacrificar al hombre para salvar los valores que en ese momento son favorables a la ciudad. Así sacrificaron los atenienses a Sócrates;

por ese mismo motivo era indispensable sacrificar a Antígona, porque había profanado las leyes de la ciudad en el amor a *una persona*, un hermano.

Ambos sistemas, el cristiano y el pagano, se oponen entre sí.

Estamos en la contradicción. La crisis es la estructura de nuestro ser, de nuestra cultura, de nuestras relaciones. El *amor al prójimo* en ciertos momentos y *el uso del prójimo* en otros.

Combinamos las éticas y sobrevivimos.

Pero son éticas contrapuestas. De ahí la crisis.

También hemos establecido en los últimos siglos cuán científicos somos, y cuánto debe ser recluida la dimensión religiosa, transpersonal, en alejadas atalayas.

Olvidamos que la ciencia, usada como religión, es religión.

Los padres que repiten el Big Bang a los hijos practican con ellos catecismo. Tan dogmático como el de la religión.

Es dogma lo que se repite sin entender.

Cuando yo digo "ADN", nada digo. Igual que cuando digo H_2O.

De la misma manera, podría decir que Dios es un círculo infinito cuyo centro está en cualquier lugar.

Repetir no es entender.

Decir energía es igual a, etc., sin entender equivale a expresar que la humedad es lo que mata, que Juancito no superó aún su complejo edípico, que el Greco sufría de astigmatismo.

Ahí se mezclan dos éticas de Occidente, las vías religiosas y las científicas, y los automatismos de ambas dentro de la mente contemporánea.

Con estos desniveles existenciales salimos a procrear, queremos educar y nos proponemos que nuestros hijos sean felices, que sean ellos mismos.

Y les decimos que se preparen para la vida en sociedad y tengan éxito.

Ser exitoso y ser uno mismo son dos mensajes recíprocamente

110

excluyentes.

Entonces les decimos que busquen el justo medio entre lo uno y lo otro. Ellos contemplan en su entorno y no perciben esa síntesis ni en su hogar, ni en la escuela, ni en la calle.

Se les pide que lean, pero ellos no ven a sus padres leer. Se les sugiere la trascendencia de los valores, de la vida interior, de la persona auténtica, del bien, y lo que ellos ven es la desesperación por viajar, por conquistar, por comprar, por dominar, por trepar, por llegar.

¿Adónde?

Tanto esfuerzo por llegar a ningún lado puede producir escozor y desconfianza.

A ningún lado.

En el mundo del pensamiento actual lo que más debería preocupar no es la educación de los hijos, sino la de los padres, la de los adultos.

En tiempos de crisis hay que revisar todo: la Biblia y el calefón pagano.

Y releer a Goethe:

"Sin el amor, ¿qué sería el mundo para nuestro corazón? Lo que una linterna mágica sin luz. Apenas se introduce la lamparita cuando las imágenes más variadas aparecen en el lienzo diáfano. Y aunque el amor no fuera otra cosa que fantasmas pasajeros, eso bastaría para labrar nuestra dicha cuando, deteniéndonos a contemplarlos como niños alegres, nos extasiamos con tan maravillosas ilusiones."

Nacemos varios

"Nacemos varios y morimos uno solo", señalaba melancólicamente Paul Valéry.

111

Nacemos con multiplicidad de alas, de colores, de ramas que podrían crecer en múltiples direcciones; pero la organización quiere que cada persona sea *una* de sus posibilidades y deseche las demás.

A menudo miro atrás y deploro todos los seres que dejé de ser. Es mi nostalgia.

Contemplo a mis hijos y me planteo el mismo interrogante: ¿Hay alas, brotes, gemas, que nunca se conocerán?

El manantial no sabe de sus aguas hasta que él mismo no las ve.

Cada hijo es muchos unos-mismos.

El amor es fundación de manantiales varios.

El científico Lewis Thomas comenta un caso de psiquiatría, el de una mujer que tenía ocho personalidades: "En lo personal tengo la impresión de que ocho es un número razonablemente pequeño y fácil de manejar", comenta el sabio.

Oíd, mortales: ocho personalidades para una sola persona, es relativamente poco... casi un estado de pobreza. De manera que habría que decir: "¡Pobre persona, dispone tan sólo de ocho personalidades!"

¿Pero no habíamos decretado que esa señora era enferma, un caso de psiquiatría?

Sí, lo era. Mas, ¿por qué?

Porque tenía todas sus personalidades al mismo tiempo.

¿Quién es normal? Aquel cuyas personalidades se manifiestan por turno, una detrás de la otra. Cada una en su turno, en su momento.

Más aún, Lewis Thomas, gallardamente confiesa que él no es el dueño de sus personalidades, sino más bien lo contrario, ellas son él, lo buscan, lo reclaman, lo amonestan.

Con gracia nos cuenta Thomas cómo esas personalidades a menudo practican una especie de reunión de directorio. Unas quieren dominar a las otras; luego hay luchas intestinas, hasta que se procede a votar y a establecer jerarquías.

"Los peores momentos de todos han sido cuando he querido ser uno solo."

Solamente siendo todos los que uno es se llega a ser único, pero nunca uno.

En efecto, la sociedad del éxito quiere que cada uno sea uno, de una sola definición; lo demás —los demás que uno sería— no cuenta, es complemento circunstancial del sujeto y de su predicado primordial.

Mi hijo es médico, dice la señora. Mi hija es analista de sistemas, dice el señor. Yo soy gerente. Yo soy diseñadora. Yo soy navegante espacial. Así hablamos, así pensamos.

¿Y lo demás? Lo demás es para el domingo, para las vacaciones, para cuando no soy eso que soy.

Porque si alguien se atreviera a decir yo soy padre, o esposa, o pasajero, o hermano, o ambicioso, o envidioso, o dios, ingresaría en una categoría que las computadoras oficiales rechazarían a gritos.

Y sin embargo *lo demás es lo que soy;* y esto que digo que soy es lo que hago para alimentar mi cuerpo, mi ego, mis apetencias y a los otros que me quieren fichado y archivado en una sola frase.

En verdad, soy un mar de contradicciones. Debo saberlo y hacerlo saber si quiero que mis hijos sean ellos mismos, como exigen las revistas.

Debo saber que mientras hago negocios o planifico ganancias o carreras o éxitos soy un ser necesitado de amor, buscador de sentido, de flores inéditas que, si no crecen, me marchito.

Soy todos mis yoes, todas mis personalidades, y no quiero prescindir de ninguna.

Pero hay que decidir cuál es el orden, dónde está la prioridad, qué viene antes y qué después.

Soy la estructura de todos mis universos y el orden de su jerarquización.

Mis seres acontecen.

El orden lo elijo, lo decido, es mi libertad. Es mi responsabilidad.

¿Qué lugar ocupan nuestros hijos en ese orden?

He ahí colegas, padres, el dilema.

VI.   Tú eres el hombre

VI. Tú eres el hombre

Tú eres el hombre

Te miro, me miro y vislumbro dos verdades elementales:

La primera verdad es que no estamos solos.
La segunda verdad es que estamos solos.

Nosotros. El uno con el otro.

Jamás el uno del otro. Sería transformarse en objeto, en cosa.

Jurídicamente pueden establecerse posesiones, tal padre de tal hijo, tal hijo de tal madre, tal esclavo de tal amo.

Estamos ajenos, pero somos en relación. Las relaciones son vínculos y los vínculos son cadenas.

¿Cómo coexistir si somos ajenos, si queremos estar juntos, si obramos como dioses y quiero ser absolutamente yo-mismo y ello obliga a ignorar al otro-mismo a quien tanto quería, pero a quien tanto necesito dominar para que no me domine?

Ganando pierdo. Siempre quiero ganar y siempre pierdo.

Ganar es ganarle al otro, superarlo, someterlo. De esa manera lo pierdo.

Quererte es querer alguien como yo, conmigo, en la misma plataforma. Quiero ganarte, que seas mía. Pero entonces te pierdo porque dejas de ser tú; te incorporas a mí, y yo vuelvo a estar irremediablemente solo, aunque propietario de otro.

Durante la Segunda Guerra Mundial, escribió el líder del socialismo francés, León Blum, un libro llamado *A la*

117

medida del hombre. Angustiado por tanta barbarie sucedida, al concluir su obra, se pregunta el autor:

"La raza humana creó la sabiduría, la ciencia, el arte; ¿Y habría de ser impotente para crear la Justicia, la Fraternidad y la Paz? Parió un Platón y un Homero, un Shakespeare y un Hugo, un Miguel Ángel y un Beethoven, un Pasteur y un Newton, héroes humanos cuyo genio no estuvo en contacto más que con las verdades esenciales, con la realidad central del universo. ¿Por qué esa misma raza no engendraría guías capaces de conducirlas hacia las formas de vida colectiva que más se aproximan a las leyes de la armonía universal? (...)

El hombre no tiene dos almas diferentes; una para cantar y para investigar y otra para la acción; una para sentir la belleza y comprender la verdad, y otra para sentir la fraternidad y comprender la justicia."

Blum confiaba en el hombre.

Hubo, es cierto, hombres que fallaron durante la historia, hombres que mataron a decenas de millones de otros hombres. Son fallas, según Blum, que el tiempo sabrá reparar.

No son la humanidad, ya que la humanidad es Platón, Homero, Pasteur, Beethoven, etcétera, y no hay dos almas, sino una sola.

Leo el texto de Blum con admiración, afecto y hasta emoción. Pero también con pena.

Las bellas palabras no embellecen la vida.

Blum creía en ellas; eran, por tanto, su íntima convicción; veía el arco iris como sujeto de la historia y la tempestad como mero circunstancial. Blum era y vivía según esas palabras.

¡Hermosas palabras!

¡Hermoso fracaso de hermosas palabras!

No, no debemos difundir un humanismo que no prac-

118

ticamos, que la realidad contempla con cínica sonrisa.

Sí, hijo mío, el hombre a veces es Platón y a veces Hitler, y generalmente está a mitad de camino entre uno y otro.

El hombre, hijo, no es Shakespeare; es la galería completa de los personajes que desfilan en la obra de Shakespeare, sublimes unos, infames e infernales otros.

El hombre no tiene ni una ni dos almas. Tiene el alma que se confecciona, a tal día, a tal hora, en tal ocasión.

No es el hombre, hijo mío, el sujeto soberbio y omnipotente de la gramática, el dueño de la sintaxis, ese que dispone siempre de un predicado, y que apela a un objeto directo, que es el primordial; dirigido hacia un objeto indirecto que es secundario, y en ciertas circunstancias que son totalmente circunstanciales y en consecuencia inesenciales.

No, el hombre, tiene su sintaxis propia, que no es de él; es de los otros y empieza justamente por las circunstancias.

Yo soy yo y mi circunstancia, decía el brillante español.

Las circunstancias me dan a luz, me paren, me moldean, me eligen, me estimulan, me suben, me sacuden. Después aparezco yo y veo qué hago con mis circunstancias.

Entonces busco ante todo el objeto indirecto, el otro-como-yo, el otro hombre.

Las reglas del juego

Hay que elegir: o vives para algo, para alguien; o vives para nada.

Cuando uno sabe para qué vive deja de tener miedo, y comienza a confiar y a transmitir confianza.

Juntos y solos, cada uno con su libertad. Las reglas las ponemos nosotros; nadie puede interferir.

Si hay relación debe haber reglas.

Padres e hijos no podemos sustraernos a esta norma de toda relación. Nadie puede pronunciar una palabra a

119

menos que cuente con algunas normas de lenguaje, de gramática, de diccionario; reglas, normas. También en 1968, en París, para protestar contra las normas hubo normas. Para decir "Los oídos tienen paredes" hay que apelar a todo un sistema cultural-lingüístico, a la tradición compartida por todos. Hay un juego que grafica maravillosamente el juego de la vida, el arte de la convivencia en libertad.

Dos son los jugadores, A y B. Cada uno tiene cuatro opciones de elección. Ambos saben qué contiene cada opción: en algunas empatan; en otras uno gana y otro pierde.

¿Qué elegirá cada cual?

Nadie conoce la decisión del otro; debe imaginarla.

	b1	b2
a1	5,5	-5,8
a2	8,-5	-3,-3

Si yo soy A y apuesto, imaginemos a *a1-b1* gano 5 puntos y tú también ganarías 5. Ambos ganamos. Sería una buena opción para los dos. Pero a tal efecto debe haber entre nosotros un régimen de confianza recíproca. Debo confiar en que quieres ganar pero no superarme en la ganancia; que no anhelas ser más que yo.

Si esa confianza falla yo no puedo apostar a un empate 5 a 5 (*a1-b1*).

Por otra parte, si esa confianza no falla, si puedo contar con tu deseo de ganar pero junto conmigo, a la par, y sin embargo la ambición de poder crece en mí, entonces me aprovecharía de esa confianza tuya como de una debilidad y apostaría a *a2-b1*, donde yo gano mientras tú pierdes rabiosamente.

Ocurre que tú también haces todos esos razonamientos acerca de mí...

Ganar a costa del otro en este juego es una colisión inútil.

Debemos pensar: seamos egoístas.

Que cada uno piense para su propio bien, lo mejor para él.

Finalmente la mejor apuesta será

$$a2-b2$$

Tú pierdes -3 y yo lo mismo.

¿Qué significa perder?

Renunciar. Dejar de ganar. Con eso se gana. Al menos se gana seguridad, tranquilidad.

Los dos nos quedamos disminuidos. Pero los dos. Por igual. *Y esa igualdad, aunque sea depresiva, nos satisface. Triste igualdad, triste satisfacción.*

Comenta al respecto Watzlawick:

"Los psiquiatras están bien familiarizados con los cónyuges que llevan una vida de silenciosa desesperación, obteniendo un mínimo de gratificación de sus experimentos en común... Es como si dijeran: la confianza me haría vulnerable, por tanto tengo que elegir lo más seguro, y entonces la predicción inherente es: el otro se aprovechará de mí..."

El miedo es el miedo al otro, en el fondo siempre a punto de lanzarse sobre mí y arrebatarme lo mío.

Nos amamos, pero nos tememos.

En las sociedades primitivas esta conciencia del *ser parte de* una relación suele ser más pura, sincera y espontánea. En la sociedad Do Kamo, de un hombre se dice: "el otro hombre". Todo hombre es otro. "El otro es la fracción de un conjunto; uno es una fracción de dos... La pareja, el par, la dualidad, desempeñan... el papel de unidad de base."

¿Cuál es el pecado? La división, la separación; dejar de *ser parte de* para sentirse totalmente completo en sí mismo, independiente. El yo henchido de soberbia es glorioso y triste a la vez.

Nace de la ruptura con el medio. El *Brhadaranvaka Upanishad* comenta ese nacimiento esplendoroso y su consecuencia inmediata, el miedo:

"Miró alrededor de sí y no vio otra cosa que sí mismo.
Por primera vez dijo: yo soy. Y se llenó de miedo."

El yo emerge como una saliente que se desconecta de todo su entorno y lo enfrenta. A partir de ese momento lo que no es yo, es no-yo, ajeno, contrincante, obstáculo; en fin, enemigo.

Si el yo en calidad de sujeto es el gran héroe de Occidente, su mensaje radical es el de hostilidad y guerra; en el mejor de los casos, agazaparse a la espera del enemigo.

Por eso tuvo que ordenar Dios —explica Freud— el amor al prójimo. Ordenarlo, ya que no fluye naturalmente. Naturalmente el yo, en su unicidad, vive de miedo, es decir de odio. Ésa es su práctica natural y concreta.

Para amar hay que renunciar a la omnipotencia de ese yo endiosado que se basta a sí mismo y volverse a la conciencia de *ser parte de*; las partes requieren de las partes.

Somos parte de. El soplo de la vida pasa a través de estas existencias que representamos.

Los pasajeros de una misma nave suelen trabar amistad.

Ser es ser parte de.

Es lo primero que los niños deberían aprender.

El yo es el otro de otro. Es lo que surge, lo que se hace y lo que se decanta de sus relaciones. En consecuencia, lo bueno no será bueno a menos que fuera bueno para los dos.

Nos produce gran desazón tener que vivir en pleno amor y plena desconfianza. Hablamos de lo que sucede entre nosotros, del aprovechamiento de uno respecto del otro, del ansia de no ser usado, del miedo a perder, de la necesidad de ganar, de ser de algún modo superior. En ese aprendizaje del juego de la vida, de la libertad, de la responsabilidad y del bien que se juega entre varios, se llega a pensar.

¿Y qué se puede lograr pensando? Avizorar que si los dos perdemos por igual, es un mal menor, pero sigue siendo un mal.

Entonces tomaríamos conciencia de que la mejor solución es *a1-b1* donde cada uno gana 5.

Decisión cooperativa de crecer juntos. Ni hacia abajo, ni uno a costa del otro. Hacia arriba, pero juntos y en bienestar.

¿Qué aprende el bebé?

Probablemente hoy se hable mucho más con los hijos que en tiempos pasados.

No por hablar más se comunica más. No por hablar más se profundiza más en la relación.

Uno no puede proponerse vivir; uno está viviendo.

Uno no puede proponerse ser; uno está siendo.

Uno no puede proponerse educar; uno está educando.

¿Hablar con los hijos? ¿Proponerse el diálogo? Es absurdo. Tan absurdo como proponerse estar contento el domingo al mediodía cuando salimos a comer.

¿Programar la comunicación? Absurdo; como estar aburrido y hablarle a un amigo por teléfono para preguntarle cómo está.

Es factible, eso sí, programar las condiciones de convivencia de tal manera que de ella brote una comunicación natural, un diálogo espontáneo, un tú del momento, una sonrisa auténtica, una mueca original.

Tú y yo, yo y mi hijo, tú y tu hijo, que es nuestro, pero es tuyo, pero es mío, pero es él mismo, el otro, es decir el ajeno, el desconocido aunque creemos, ingenuamente conocerlo tan bien, como creemos ingenuamente tan bien conocernos.

Decimos "juventud divino tesoro" y les compramos *El tesoro de la juventud* para que aprendan a repetir lo que los libros dicen.

El miedo nace desde el primer día, el miedo a los bebés. Hay que hacer algo con ellos urgentemente. Para favorecer su libertad. Para desarrollar su pensamiento. Los expertos, y los padres que siguen a los expertos y los repiten así como repiten tantas otras verdades —relatividad, ADN, FMI, H_2O, *pitecantropus erectus*— necesitan garantizar la felicidad de la criatura desde su origen mismo. Entonces se abocan a ella, a su alimentación, a su higiene, a su estimulación sensorial, les cuelgan móviles de Calder sobre sus cabezas, los rodean con objetos para que se críen bien y desde la cuna los inundan con canciones infantiles de alta espiritualidad.

A nadie se le ocurre que si le ponen Verdi a los 6 años cantarán fragmentos de *La Traviata* con el mismo placer que produce *Mambrú se fue a la guerra*; o con mayor placer.

¿De dónde proviene ese miedo al crecimiento natural, sin premeditaciones, de nuestros hijos? ¿Por qué no podemos confiar en ellos?

Queremos remediar nuestra propia inseguridad a través de ellos. Anhelamos la ciencia que de algún modo es lo único seguro que nos queda. La ciencia es verdad. Queremos educar en verdad, ser padres de verdad, con verdad.

¿Qué aprende el bebé?

Desde temprano aprende que la vida es teatro, espectáculo; que uno debe hacer lo que otros esperan de uno si quiere que le saquen fotos; mientras la madre estimula al bebé, el bebé estimula a la madre, y ella sonríe de satisfacción educativa.

Al principio se tolera la risa; es buena, es encantadora,

es un cielo de campanillas y cristales.

El bebé crece y aprende muy rápidamente que todo lo que era divino ayer será nefasto mañana.

No es bueno reír desenfrenadamente. Sonrisa sí, risotada no.

Luego aprende que ayer era bueno practicar la aprehensión de los cubos con las dulces manitas y despertaba aplausos si los arrojaba sobre las visitas, pero mañana hay que dejar que cada cosa esté en su lugar, porque el mundo de las cosas es valioso en sí y ha de ser respetado, si uno quiere que los demás le sigan sonriendo.

Aprende a repetir la mesura, a decir frases de archivo, a comentar lo que todos comentan y a brindar constantemente *el mejor espectáculo* que los otros esperan de él.

Cuando hay que ser como uno mismo no se sabe qué hacer. Hay un cuento de John Updike que nos proporciona un buen planteo para el conflicto de la identidad. *¿Debe mamá pegar al mago?*, se llama. En mi versión resumida dice así:

> En el bosque había un animalito, Roger Mofeta. Como todos los mofetas tenía un olor muy desagradable. El resto de los animalitos se negaba a aceptarlo en su compañía, en sus juegos.
>
> Roger sufría mucho. Un día fue a visitar al mago y le contó sus penurias. El mago lo miró y lo miró, y finalmente lo tocó con su varita.
>
> Roger estaba encantado, ahora tenía olor a rosas. Felicísimo corrió a casa. Mamá salió a su encuentro, percibió su nuevo olor y se enojó mucho:
>
> —¿Qué es ese olor, Roger?
>
> —Es olor de rosas.
>
> —¿De dónde lo sacaste?
>
> —Me lo dio el mago, mamá.
>
> Mamá tomó a Roger de la mano y fueron a la casa del mago. Mamá le pegó al mago y le exigió que le devolviera a su hijo el olor original de los mofetas. Y así se hizo.

Roger lloró mucho.
Seguía yendo al bosque.
Con el tiempo se hizo de algunos amigos que se fueron
acostumbrando a su olor. Y todo terminó bien.

Cuando leí el cuento me invadieron los interrogantes:

—¿Quién tenía razón: Roger, los animalitos, el mago, la mamá?
—Cuando un hijo no es como todos, ¿qué debe hacerse?

Me gustaría organizar una reunión con otros padres y nuestros respectivos hijos, leer el cuento y discutirlo. Nunca lo hice. Estoy muy ocupado...

Los tiempos cambian

Enrique Larreta describe la educación del jovencito Ramiro, que se desarrolla siglos atrás en una España creyente y firme. El maestro, que entonces no podía ser sino un canónigo, le habla al niño de Santo Tomás, de Aristóteles y le lee textos de esos autores.

"Ramiro no pudo disimular su aturdimiento. Su semblante denotaba a las claras el vértigo.
"—No os importe —le dijo el canónigo al terminar— si de esta primera vez no cogisteis el sentido. Mañana habrá lectura aclaratoria."

Era otro mundo. Entonces repetían cosas igual que ahora, pero ese mundo era otro porque *tenía tiempo*. Confiaba en el tiempo.

¿Qué importancia tenía que Ramiro no entendiera nada de todo aquello que el canónigo le leía o le comentaba? Era apenas el comienzo de una aventura de largo aliento.

"Mañana habrá lectura aclaratoria."

Y pasado mañana. Y el próximo año. ¡Toda una vida! ¿Qué apuro?

Del maestro dice Larreta que tenía "la solidez de un peñasco".

Se estudia hoy, se aprende mañana; se vive otro día. ¿Qué apuro?

En los tiempos de Ramiro valía la pena soñar con América, un nuevo horizonte; valía la pena colonizar, difundir la verdad consolidada en Europa, en ciencia, y en fe, en obras y principios.

A nosotros nos tocó la conquista de la Luna. Lo cierto es que seguimos en la Tierra y que la Luna no nos interesa.

Ramiro tenía un mundo armado de cosas interesantes, objetos interesantes, objetivos interesantes. Vivían para la eternidad. Produciendo obras, cada uno la suya.

Quien visite la casa de Enrique Larreta, podrá ver los objetos de ese mundo: armarios, escritorios, piezas *hechas para siempre.*

Lo nuestro es cambio perpetuo. *El cambio es lo estable. Porque el valor es lo nuevo.*

Huxley decía que en lugar de casarse y separarse sucesivamente —poligamia vertical—, más valdría sacar licencia de casamiento como se saca licencia de portar armas, de albergar perros, por uno o dos años, y luego renovarla.

El cambio es el medio, el medio es el fin.

No deja de ser una curiosidad preguntarse por qué un argentino, Enrique Larreta, muerto en 1961, en plena modernidad, escribe una novela histórica, española, ubicada en tiempos antiguos.

Larreta añora ese pasado que era mundo, que se armaba con muebles para la eternidad, con ideas de alta reverencia, indudables, y de hombres que, como mástiles de naves gloriosas, se dirigían hacia algún destino.

Precisamente porque Larreta percibía que *todo eso era lo que el siglo actual no es*, decidió rescatarlo y refugiarse en aquella gloria: la solidez del peñasco.

El día de cada día

Distinto es el mundo de Stephen, nuestro colega existencial, hombre de comienzos del siglo XX, hijo literario de James Joyce.

Ni solidez, ni peñasco; arena y viento.

¿Qué es la vida?

"Toda vida consiste en muchos días, día tras día. Caminamos a través de nosotros mismos, encontrando ladrones, fantasmas, gigantes, viejos, jóvenes, esposas, viudas... Pero siempre encontrándonos a nosotros mismos."

A Stephen y a los hombres que lo rodean no les pasa nada. Hablan. Toda la novela, llamada *Ulises,* abundante en páginas, es palabra, diálogos, charlas, que son realmente monólogos, y transcurre en el lapso de dieciocho horas.

Ya no es menester recorrer la vida de una persona. Basta con un día para componer una frondosa y espesa novela.

Stephen camina hacia ningún lado, *por eso* sólo se encuentra a sí mismo. No escucha a nadie, *por eso* está condenado a escucharse.

Mientras, cumple años. Festejan el tiempo que pasa. El cumpleaños es una vetusta costumbre que aún conservamos porque alguna costumbre debemos conservar. Estamos solos, bailamos solos y únicamente restan las fiestas del individuo, como ser el cumpleaños, algo totalmente privado, mío, no compartible con nadie, por más que vengan todos a festejar no-sé-qué.

Los faraones cumplían años, y las antiguas civilizaciones se regocijaban con el movimiento exterior de los astros, la suma de los meses, el cambio de las estaciones, de los pastos, de las sequías, de la naturaleza. El mundo exterior los contenía. Eran parte de un mundo, de un sistema. El faraón era el centro y su cumpleaños era trascendente. Sólo dentro de un sistema *tiene sentido* cumplir años y alegrarse de ser parte de cierto crecimiento que yo soy y que no hace más que consolidar el crecimiento de aquello —familia, hogar, sociedad, pueblo, historia, religión, ideas—, que me contiene.

Leemos a Joyce: No hay años; hay días; cada día, día tras día, otro día.

Deberíamos aprender a cumplir días. En el año el movimiento cósmico me arrastra automáticamente.

En el día cumplido soy yo el autor, yo y mi libertad, yo lo hice, yo me hice. *Yo soy mi obra.*

Eres tu vida y no lo que haces con ella. La vida no es materia prima con la que hay que producir algo.

Hijo mío, no eres un medio; eres un fin.

Ser tu vida, hacer tu vida. Tu vida es tu obra.

El mismo Joyce se vuelve a Shakespeare para admirar sus obras. No nos preguntamos, dice, cómo vivió el poeta. No nos interesa. Nos apasiona su obra. Vivió *para* producir obra.

Villiers de L'Isle Adam (1840-1889) sostenía que él estaba en el mundo para producir obras; "en cuanto a vivir, nuestros criados pueden hacerlo por nosotros", comentaba.

Tan abocados estaban al universo de las obras que vivir era tema para los que no tenían obra que producir, la gente inferior, los criados.

Hubo un cambio: a nosotros nos enloquece la vida. El arte de vivir es el supremo arte, si es que nos ilusionamos con una marcha evolucionista de la historia.

Los muros, todos los muros, los políticos, los culturales, los ideológicos, están cayendo estrepitosamente y el mundo se uniformiza en torno de la pasajeridad de las cosas.

Entramos en una era de obras *premeditadamente* intrascendentes, momentáneas, caducas de nacimiento, sin eternidad, móviles y delebles.

El libro de arena.

Cabe considerar la vida, la de cada uno, como única obra posible y valiosa, fin en sí, objeto y objetivo dignos de alcanzar. Los años tienen 365 días que hay que ir cumpliendo día por día.

Joyce nos retrata. Escribe la novela de cada día. Todo lo que decimos, todo lo que oímos, todo lo que sucede en un día. *Eso es la vida.*

Otro personaje de Joyce, un académico, revisa los residuos de la civilización que nos impregna. ¿Qué son? Residuos romanos, residuos bíblicos.

Judá, dice, se buscaba en Dios.

En Roma, añade, se preocuparon por construir redes cloacales. Los hombres bíblicos iban por el desierto y llegaron al monte de Dios y dijeron: Es bueno este lugar, quedémonos aquí y construyamos un altar para Dios.

Los romanos, también ellos, a todo lugar que llegaban decían: es bueno quedarse aquí, construyamos cloacas.

Son elementos de vida, indispensables todos. Los de arriba y los de abajo.

La modernidad se quedó con los de abajo. Los herederos de la modernidad, nosotros y nuestros hijos, quisiéramos tener algo arriba.

Momentos de séptimo día

Cuenta J. D. Salinger acerca de dos hermanos que dormían en una pieza de su casa, y en la habitación contigua estaba su hermanita de diez meses que lloriqueaba. Seymour intentó darle el biberón, pero no logró calmarla.

Entonces consideró que la lectura podría apaciguarla. Seymour tenía 17 años. Fue y tomó un libro.

"—¿Qué vas a hacer? —preguntó el hermano.
"—Creo que voy a leerle algo —respondió Seymour.
"—Pero, por favor, si tiene 10 meses...
"—Ya lo sé —respondió Seymour—. Tienen orejas. Oyen."

Esa frase —"tienen orejas, oyen"— es todo un baluarte en materia de educación, de respeto al más pequeño de los niños, al más humilde de los hombres.

Seymour confiaba en los oídos de su hermanita. Algo queda, algo se graba, todo influye, todo incide. La hermanita de Seymour, llamada Franny, oyó, y creció sensible, fresca, abierta a posibilidades varias de voces múltiples.

¿Qué le leyó Seymour esa noche a Franny?

"La historia que Seymour leyó a Franny aquella noche era una de sus favoritas, un cuento taoísta. Franny jura hasta hoy que se acuerda de Seymour leyéndoselo."

No se acuerda del cuento, no. Sí del momento, del amor de su hermano que le dedicaba a ella su cuento favorito. Él creía en ese cuento, lo amaba. Y se lo obsequió. Franny no recuerda el cuento, recuerda la seriedad del momento, el respeto a sus oídos, aunque contara tan sólo diez meses de vida.

Tienen orejas, oyen.

Y así retornamos a lo que somos: ejercicio de ser en el sucesivo estar.

Ramiro y su maestro, tenían tiempo. Un programa de vida. El hombre de estos fines de siglo XX no dispone de tiempo. Es el lema mayor en su escudo de armas: "No tengo tiempo". Su preocupación consiste en estar ocupado.

El tiempo es la conciencia. La conciencia se ilumina cuando uno deja de estar ocupado y se encuentra teniendo que hacer algo consigo mismo.

Está ahí en el medio, como rajadura del tiempo que fluye inexorablemente a través de las cosas que hacemos y por cuya causa no tenemos tiempo.

No tenemos tiempo porque le tememos al tiempo, a la conciencia. Me deja solo, me obliga a pensar.

Brotan las preguntas: ¿Qué hago ahora? ¿Para qué estoy? ¿A dónde voy?

Cuando Dios creó el mundo, durante seis días sucesivos estuvo haciendo cosas. En el séptimo dejó de hacer. El relato bíblico, nos muestra un paradigma. Es inevitable que trabajes y que produzcas para sobrevivir seis días a la semana, pero en el séptimo descansarás.

Un día para no hacer cosas.

Desocupar el tiempo un día a la semana.

Fíjate, un día a la semana, para el mero hecho de existir, estar. Contempla. Mira a tu mujer, a tus hijos, al vecino, al animal, al siervo, a la planta. Medita qué significa todo esto. ¿Para qué estás, para qué están, qué se puede hacer para mejor-estar?

Donde tú estás, hijo, así en plenitud de aparición, ahí está el tiempo, ahí la libertad, ahí el pensamiento, ahí la verdad, ahí la realidad.

Nosotros decimos que "nos haremos tiempo" para cosas importantes. Preferimos tener muy poco tiempo, porque no sabríamos qué hacer con él.

¿Contemplar? ¿Meditar? Está tan lejos eso de los hábitos del hombre actual, que entiende las palabras pero no sabe vivirlas.

El mandamiento del séptimo día requiere que no se haga trabajo alguno de productividad y provecho en el mercado. Invita a vivir la vida de ese día en trascendencia: hacia lo otro, los otros.

Caen todas las consignas; ni eres esposa, ni soy padre ni hay siervos, ni hay superiores. Desnudos, despojados, descubiertos. Como si hubiéramos sido creados todos por igual.

¿Dónde están las diferencias? Unos hacen más, otros hacen menos; unos logran mayores frutos; otros, menores. Unos esculpen, otros tocan Stradivarius, otros ganan dinero, otros siembran rabanitos.

Así es cuando trabajamos para otros.

Un intervalo, un recreo, un respiro.

Dijo Dios:

> *No he creado el descanso, porque el descanso es imposible; la vida es movimiento, cambio, dinamicidad, pero he creado el tiempo, un alto en el camino, un día con tiempo para que te recrees.*

Antonio Machado escribía con la pluma Juan de Mairena este discurso a eventuales educandos:

> "La gracia está en pararse a ver, a contemplar, a meditar, en consagrarse un poco a las actividades quietistas. (...) No pretendo educaros para hombres de acción, que son hombres en movimiento, porque estos hombres abundan demasiado."

Aprender a vivir es aprender a detenerse, a pararse. Ahí está, dice el poeta, la gracia. Lo demás abunda; no requiere de educación.

La gracia es lo que falta, y puede ser cultivada en el tiempo que sobra.

Al 2010 nuestros hijos llegarán sanos y salvos y se adecuarán rápidamente a todos los cambios tecnológicos que sucedan. Como padre, francamente, no me preocupa el tema. Los aparatos, las teclas, los botones y la digitalidad creciente constituyen el agua natural en la que nadan. Eso se les da desde el aire que respiran.

Yo, ¿qué les doy?

¿Qué podríamos darles?

Modelos de intervalos vividos en plenitud, momentos de séptimo día.

Eso es el hombre; lo demás es pasatiempo.

La nueva religión: ser eternamente joven

El protagonista de *La gloria de Don Ramiro* se encuentra con un espadero. El artesano le pide su espada. La recibe, la revisa, la sopesa. Luego deplora que las espadas ya no sean lo que fueron:

> "El agua del Tajo es la mesma, sus lodos no han cambiado, el fuego es siempre el fuego y en punto a lo que habría que hacer todos lo saben."

¿Por qué entonces el pasado es mejor que el presente, si es que el presente sabe tanto más que el pasado? ¿Qué se ha perdido?

> "Lo que se ha perdido es la honra", dice el espadero.

¿Y qué ocupa hoy el lugar de la honra?

> "Hoy todo es interés y malicia… En mi tiempo batíamos cada espada como si nos estuviesen mirando el mundo entero y Dios mesmo."

El tiempo —para el autor— es decadencia, paso de lo superior a lo inferior. Todo lo supieron y en todas las culturas. En Occidente la historia del hombre comienza con su caída, con su decadencia.

Pero es importante atender al espadero. Se ha perdido, considera, la honra.

¿Y qué es la honra?

Es la dignidad interior. Es eso que no es fruto de obras

134

y empresas sino que brota desde adentro y respeta los principios en sí y por sí. Por la honra se vivía, por la honra se mataba —para eso se hacían buenas espadas, no hay que olvidarlo—, por la honra se moría.

En ese mundo, recordemos, la honra es valor supremo porque a uno lo contemplaba "el mundo entero y Dios mesmo".

A los personajes de Joyce, a nosotros, no nos contempla nadie. La honra suena legendaria.

Ahora todo tiempo futuro será mejor. Lo que vale es lo nuevo, lo que no perdura.

Lo nuevo es lo mejor.

El tiempo se ha acelerado; programas a corto plazo. Cerca del final del *Ulises*, en el famoso monólogo de Molly Bloom se afirma que la mujer moderna

"necesita que la abracen veinte veces por día para tener aspecto joven".

Lo nuevo es joven. Es ésta la nueva religión.

En efecto, según **Mircea Eliade**, el origen de este culto es religioso:

"Tanto los primeros colonos como los emigrantes europeos más tardíos viajaban a América como al país en el que podrían nacer de nuevo...
"La novedad que sigue hoy fascinando a los americanos, es un deseo que tiene un apuntalamiento religioso. En la novedad se espera un re-nacimiento."

Todos somos, en ese sentido, americanos, ávidos de renacer en la novedad, en la juventud.

Juventud es el manjar de Fausto; todos somos fáusticos. Joven, nuevo, es el anhelo del hombre de fines del siglo XX. Renovarse la cara, aunque fuera por unos años. La lucha contra la arruga, la celulitis, el abdomen.

Tengo el cerebro sumergido en el colesterol, las calorías, el aerobismo, la nutrición. Yo soy mi digestión, ahora más que nunca. Yo soy mi piel. Cuido el champú, las cremas, el sol, la sombra; me desvelo por causa de la agujereada capa de ozono.

Mis amigos me siguen y me persiguen con la mirada. Diariamente me miden, a ojos de buenos cuberos, el abdomen. Todos quieren mi bien, y mi bien está en el abdomen. Luego tomo pastillas sedantes porque no puedo adelgazar y la mirada de tantos amigos me condena a la sima del infierno.

Donde hay un programa radial o televisivo, una nota periodística, una información sobre edulcorantes, dietas, ejercicios, meditación trascendental, gástrica, fitness, ahí estoy yo, a la caza y a la pesca de mi salvación personal.

Miro mi abdomen, luego existo. Es el mayor foco de reflexiones del hombre contemporáneo.

Es que el universo entero ha dejado de mirarnos, y Dios también. Eso es lo que sentimos, que de arriba nadie nos mira. Nos falta esa mirada superior que nos abarque y nos totalice.

Tan sólo contamos con la mirada del otro, la que evalúa piel y arrugas. Pide que tenga buena cara. Sonrío, *ergo* me aman. Al menos no me odian. Al menos no me preguntan si estoy depresivo, si me pasa algo, si tengo algún problema. *Hay una furia de altruismo en el mundo.* Todos se preocupan por la salud de todos, por el rostro de todos, por el abdomen de todos. Al prójimo no se lo escucha, es cierto, pero se lo mira. Esa mirada es implacablemente altruista.

No te quieren ver mal, no te quieren ver voluminoso, no te quieren ver preocupado.

Más no se le pide a nadie.

Aquí ahora, mientras yo te observo, debes estar bien.

Por otra parte, también conviene tener problemas. El que no los tenga es un sospechoso. Si dice que no tiene problemas es porque anda mal, obviamente. Sonreír y

136

tener problemas es la dosis exacta del equilibrio de un hombre finisecular y posmoderno.

Y joven, siempre joven. Todos somos adolescentes. Todos practicamos deportes. O, al menos, usamos ropa deportiva.

No hay ancianos. Desaparecieron. Hay tercera edad. Y deben estar lozanos, bullentes, bailar, cantar, jugar a la paleta, al dominó, y practicar *sensitivity training*.

Todos somos hijos, jóvenes, en bicicleta, en *jogging*, en camisetas estampadas con fórmulas rebeldes, eróticos, erráticos.

Todos somos hijos.

Todos somos adolescentes

Somos iguales, en una adolescencia perpetua.

El adolescente es el que busca el camino. Nosotros, los padres, no lo hemos encontrado aún. *Ergo, somos adolescentes*.

Si uno mismo está perplejo y no sabe qué rumbo tomar, qué decirle a su hijo, por una parte se angustia, se llena de culpa; por otra, decide que, después de todo, está en el mismo kilómetro cero que su hijo, y lo emula, compite con él en materia de juventud, eterna juventud, inagotable juventud.

¿Qué hacer con un hijo adolescente?, preguntan padres y madres azorados.

¿Qué hacer con padres adolescentes?, preguntan silenciosamente los hijos, y no saben cómo desprenderse de ellos.

Estamos pegoteados. No les damos espacio para respirar la distancia, la diferencia, la no igualdad.

No nos quieren iguales. No nos quieren *tan* comprensivos.

Y tampoco nos creen. Saben que éste es un juego, y que es hipócrita. El igual no es igual, y por tanto es falso. Tanta comprensión, tanta equiparación genera finalmente ale-

137

jamiento, a veces repulsión, otras rebeldía, otras desesperación.

Tanto optimismo agobia.

"Caminante, no hay camino." El éxito de la canción de Machado, que durante varios decenios se viene prolongando en la voz de Serrat, es sintomático.

Lo dicho por Machado era poesía, era imagen del que cree en el camino pero sabe que tiene que hacérselo solo.

Machado tiene fe en su propia existencia, en la belleza de los pasos que pueden construir un camino y en la nostalgia de lo sido que nunca volverá a ser.

Ese Machado no es el que suena en los oídos actuales, aunque la letra de los versos sea la misma.

Caminante, no hay camino. Los jóvenes lo sienten, lo viven. Es el mensaje que reciben de sus mayores. Es el mensaje de la realidad que los educa en valores contradictorios.

Vuelvo a citar:

> "Nunca nosotros hemos de profesar un culto desmedido a las actividades cinéticas…"

Son las del movimiento. El siglo XX quiere hombres en movimiento, músculos vitales, pasos ligeros, acción, aceleración, vigor corporal. Este siglo ha hecho de la "expresión corporal" una de las bellas artes.

Machado reacciona:

> "Ni el trabajo por el trabajo, ni el juego por el juego, ni la lucha por la lucha misma… La gracia está en pararse a ver, a contemplar, a meditar…"

De un polo nos fuimos al otro. Del "pienso, por lo tanto existo", elaboración mental de un hombre sentado y sumido en la reflexión, hemos pasado al "corro, por lo tanto soy sano".

Será sano, pero no todo es salud en la vida. Sano, pero no gracioso. Y la gracia es elemental en lo humano.

138

Oíd padres: no eduquéis para aquello que sucederá de todas maneras. Los hijos, nacidos en esta sociedad, correrán; el torbellino los envolverá y los moverá y vibrarán automáticamente. En consecuencia, *hay que educarlos para la alternativa*, para aquello que no se produce en sociedad y que, sin embargo, es fuente de todos los valores esenciales en el sabor de la existencia: *la gracia de detenerse a gozar.*

¿Qué significa, si no, ver, contemplar, meditar? Gozar. *Disfrutar es una gran causa.*

Dicen que el siglo es hedonista. Acusan al siglo de que sólo se interesa por el placer momentáneo. Pero ni es placer, ni es momentáneo. Gozar, disfrutar, es pararse, detener la marcha de la vorágine de la vida y paladear con delicadeza.

Un mundo recetado desconoce el placer. Placer es paladear y cultivo del paladar. Tiempo. Lento. Conciencia.

Machado decía:

"El que no habla a un hombre no habla al hombre; el que no habla al hombre no habla a nadie."

El hombre es un hombre.

Amarás a tu prójimo. *Al próximo.*

Mira a tus hijos, observa todo lo que tienen; fíjate si además de todo eso tienen a *alguien,* si tienen una canción propia y alguien próximo, a quien decirla.

Nuestras preocupaciones eróticas

El sexo es uno de los grandes descubrimientos del siglo XX.

Economía y sexo. Los otros valores se agotaron como pomos definitivamente exprimidos. Queda el cuerpo. El cuidado del cuerpo y la atención al sexo. La medición de los orgasmos. El análisis de la calidad del erotismo que cada uno maneja.

Los padres adhieren a la gran preocupación, al tema

del siglo. La educación sexual es toda una paranoia. Apelan a libritos, imágenes, metáforas, pollitos, porotos, gallinitas, huevos.

Hay miedo, mucho miedo acerca de la eventual felicidad sensual de los hijos ya que, de una u otra manera, cotejando con la gran cantidad de literatura de información orgasmática que pulula en el mundo, todos somos más o menos deficientes sexuales.

En el siglo de la libertad, el sexo se ha vuelto un imperativo categórico. Una inquisición. Todos deben responder, rendir cuentas. Hay libertad de sexo, pero no sin sexo.

No hay que mirarse el ombligo. Hay que mirarse más abajo. Ése es el punto de partida, el eje y la cima de existencia.

Los niños y los jóvenes se crían con esa libertad que, en verdad, es miedo, pánico, incertidumbre.

Lo que más se enseña son todas las posibilidades que tiene cada uno para fracasar en pareja.

El último baluarte en el reino de los valores son los hijos; y dentro de ellos, como dentro de nosotros, figura el áureo tema del sexo.

José Luis Aranguren nos ilumina con un enfoque sociológico sobre el tema. Según el pensador español toda esta propaganda fomentadora de erotismo es una premeditada astucia de la sociedad conservadora.

> "Dejar solos a los jóvenes, recluirles en una especie de *apartheid* dorado; convertirles en consumidores privilegiados de diversiones y de erotismo puede ser la astucia del conservadurismo."

No es, en esta concepción, una actitud altruista de la sociedad dejar que los jóvenes hagan lo que quieran. Es una manera de mantenerlos embotados y lejos, bien lejos, de la vida política. La *polis* es la ciudad, el terreno de lo común y de lo público. Se invita a los jóvenes a que sean ellos mismos y se alejen de los temas políticos. Así los otros, los no jóvenes, podrán gobernar más y mejor.

Erotización o politización, dice Aranguren, es la alternativa. El erotismo es estupefaciente, opio del pueblo, el pan y el circo.

"De esta manera se haría un reparto de papeles... a los jóvenes se les entregaría el desarrollo del erotismo y libres de toda inquietud los hombres maduros y razonables tomarían a su cargo, sin intromisiones perturbadoras, el orden político."

Sin embargo, si eso fuera cierto, la astucia termina volviéndose contra sí misma.

Si unos se ocuparan de sexo y otros de política sería, al menos, una situación de fronteras, aunque discutibles, claras y distintas.

Y con lo claro y distinto sabe uno cómo habérselas.

En la realidad esas fronteras no se dan. El estupefaciente sexual —en cuanto abarca gran parte de la vida pensante, y no solamente la práctica erótica— es joven y de jóvenes, y por tanto los padres y los abuelos de esos jóvenes también lo quieren para sí.

Queremos tener hijos y luego queremos ser como nuestros hijos.

Terminamos siendo temidos por nuestros hijos. Corremos todos en la misma pista, con más o menos aliento, pero corremos, con zapatillas deportivas, camisetas sudorosas, mechones juveniles, con erotismo, aunque fuera frustrado, pero jóvenes hasta el último suspiro.

Muchos jóvenes se apartan de la pista y no quieren correr más con nosotros.

Muchos buscan detenerse, contemplar, querer otras cosas, otra vida.

Curiosamente, la fatiga del progreso conduce a la poesía. El éxito de Serrat-Machado no se produjo entre los ancianos. Los jóvenes lo consagraron. El éxito del rock consiste en su letra. Será mala poesía para el buen gusto académico, pero funciona como poesía, crítica, ácida, obscena, pero diferente de la prosa diaria de los diarios, de los temas de la suba y baja del dólar, de los padres y de los estudios para prolongar la virilidad o superar la frigidez y sus causas.

El tema es: *La suba y baja del dolor.*

Poesía. A pesar de todo, los jóvenes se buscan y se encuentran, y hablan, y caminan tomados del brazo o de la mano por la noche, por las plazas, y miran la luna, y discuten, y se hallan en calidad de humanos necesitados de ternura, de amor, necesitados de fuga de tanta receta hecha, de tanta premeditación acerca de los problemas que los jóvenes *deben* tener.

La educación sexual es problema de padres. Los hijos se afanan por la educación sentimental.

El amor es el erotismo que involucra el cuerpo pero se zafa de él y envuelve a la persona en una relación humana con otras personas. El amor es erotismo pleno dentro de una comunicación, de labor conjunta.

El *amor-erótico* es éxtasis pero con identidad, con responsabilidad, con rostro, con historia, con proyección hacia adelante.

Dice Aranguren:

"Lo que aportaría el amor, frente al Presente o Instante, sería la vivencia del tiempo como continuidad; serían el pasado y el futuro puestos en relación con el éxtasis del presente."

Los óvulos y los espermatozoides dejaron de fascinar a los jóvenes. La luna, en cambio, continúa embelesando con sus vagos aromas de encantamiento.

Por suerte.

142

Somos interpretación

El mundo es lo que nosotros decimos del mundo. Sin la interpretación que el hombre le da, no hay mundo; hay cosas, elementos, sucesos. Pero cuando decimos "mundo" aludimos a un aglutinante mayor dentro del cual se produce cierto ordenamiento.

La naturaleza, decía Galileo, es como un libro que hay que saber leer. ¿Qué es leer? Interpretar. Las letras se unen en sílabas, éstas en palabras, pero la sintaxis la develamos nosotros, así como el referente, aquello a lo que ese conjunto de signos, escritos u oídos, alude.

Si la decodificación fuera un automatismo natural de la mente todos pensaríamos lo mismo.

Pensamos distinto porque somos distintos y, en consecuencia, interpretamos distinto.

Lo exterior es lo mismo. Nosotros no somos los mismos. El hombre es la fuente de los significados. Como ente social, como individuo histórico, como pupila única e irremplazable.

Donde está mi ojo no puede haber otro.

Las palabras nos confunden cuando decimos que vemos lo mismo o que sentimos lo mismo.

Las palabras son las mismas; no así la sensación, ni la sensibilidad, ni la percepción del mundo.

El otro es una alternativa de los significados que yo atisbo.

Mis hijos son mis otros al igual que su madre, mi esposa. Con que me atenga a estos pocos constituyentes de la trama humana en que estoy involucrado, ya tendría yo para toda una vida en materia de juego interpretativo.

De un juego se trata. *Homo ludens*, define Huizinga al hombre: el hombre que juega.

Las cataratas del Iguazú son tan insignificantes como la

vulgar florecilla al borde del camino. *No son* nada especial, salvo *para nosotros*.

A eso jugamos los humanos, al sentido, al significado, a la verdad. Juego es posibilidad, aventura, azar, pasión, tensión, fe, entrega. Pero, por encima de todo, posibilidad, eventualidad.

Nuestra aproximación a la verdad es juguetona. Hoy ganamos, mañana perdemos; el mañana dará a conocer su veredicto acerca de lo que era considerado verdad y ya no lo es más en virtud de nuevos descubrimientos científicos.

Según Saint Exupéry

"El amor no consiste en mirarse fijamente a los ojos, sino mirar juntos en la misma dirección."

Porque lo que vemos es distinto. Pero podemos confluir en la dirección y unirnos en ella y no necesariamente en la interpretación de aquello que miramos, porque el solo mirar ya es interpretar, y el solo ver ya es leer con ojos diferentes.

Lo que hace difícil la convivencia y lo que envenena la relación es creer en el absolutismo de la visión personal. La visión es de uno y por tanto no de otro. Pero, eso sí, podemos mirar en la misma dirección, compartir la flecha del camino.

El hombre es juego y la ciencia relativa a él no puede prescindir de ese encanto. Por eso es interpretación. El analista interpreta *con* el analizando. La tarea es de los dos.

En las otras ciencias uno está activo, el estudioso, y otro está totalmente pasivo, el objeto. Aquí, en lo humano, no hay objeto, hay sujetos, hay interacción y eso es interpretación.

144

El descuartizador de Milwaukee, pobre

El psicoanálisis tiene su gran punto de partida en las primeras experiencias de la infancia; los padres y los hijos son su tema capital.

En consecuencia, los padres se aferran ardorosamente a cualquier pista que se les arroje sobre esa problemática.

En principio se saben culpables.

La culpabilidad de los padres ya es tradición.

Tomo una noticia extraída de un diario. Dice que "Jeffrey Dahner, el descuartizador de Milwaukee, fue violado cuando tenía 8 años. El episodio habría influido en la conducta de Dahner que admitió su homosexualidad y el asesinato de 17 hombres. La agresión fue revelada durante diálogos que mantuvieron el padre del descuartizador y la mujer encargada de su custodia."

En realidad no es una noticia sino más bien el sucinto análisis de toda una historia. Uno no mata porque sí a 17 personas. Saber que el criminal fue violado cuando tenía 8 años y además había sido o terminó siendo o simplemente era homosexual, tranquiliza. *Eso lo explica todo.* Eso nos produce cierto alivio.

Comprender es bueno, agradable. Como dicen los camiones en sus inscripciones traseras llenas de filosofía popular: comprender es perdonar, así como partir es morir un poco.

Comprendemos y meneamos la cabeza pronunciando con desconsuelo: ¡Pobre hombre!

Llegado a tal punto de interpretación comprensiva uno no sabe si tiene que apenarse por las 17 personas descuartizadas o por el descuartizador, pobre, violado a los 8 años.

Pero no termina ahí la noticia: "En un intento por explicar la conducta del descuartizador, el doctor Ashuk Redi, director de la clínica psiquiátrica de Milwaukee, aseguró que Dahner cometió la mayoría de los 17 asesinatos después que su madre le perdonara ser homosexual."

145

Hay que releer, esto se está poniendo espeso. Aparece la madre en escena. Sin ella no se explicaría nada. Todo empieza y termina ahí, en un periplo de eterno retorno riguroso: la culpa es de la madre. Ella lo perdonó. Si no lo hubiera perdonado no hubieran sucedido esos crímenes. Ella le dijo a su hijo que lo perdonaba y le autorizaba ser homosexual, y en consecuencia, él decidió matar. ¡Obvio!

"Esa aceptación de la realidad por parte de la madre de Dahner habría desencadenado la matanza de 8 homosexuales, en su mayoría negros."

Ahí, exactamente ahí, donde la historia ya empieza a fascinar concluye la rica pero escueta escritura periodístico-psicoanalítica. Uno quisiera saber por qué y cómo se relaciona el perdón de la madre y la matanza de 8 negros; por qué 8, por qué negros y por qué a ellos se sumaron otros 9, al parecer no negros.

La pasión interpretativa se torna tan arrebatadora que el lector olvida los crímenes y se concentra en el retorno a la infancia del héroe, y por supuesto llega al padre, a la madre, al origen de la culpa y al origen de las especies. Entonces uno se siente bien porque todo —al decir de los semiólogos actuales— *cierra*.

Cómo ser infeliz en vacaciones

Traje el ejemplo para mostrar cómo, en una escueta nota informativa, se conjugan varias bibliotecas de psicoanálisis, hermenéutica, heurística y compañía.

Es nuestro pan cotidiano. Hoy todos interpretamos, todo el tiempo y a toda costa.

El análisis nos ha invadido y no hay quién se resista a su seducción. Hay que interpretar.

Yo digo una frase y el otro enseguida me contesta: "Lo que pasa es que usted..." Y ahí mismo me ofrece un diván, totalmente gratuito.

Gratuito significa sin costos; gratuito significa también,

146

en buen castellano, algo inesperado, caído del cielo, y tal vez perfectamente prescindible.

Estamos borrachos de interpretación.

Este aluvión interpretativo inunda a las parejas que se enojan mucho cuando la

interpretación que uno hace del otro no coincide con la *interpretación* que el otro hace de lo mismo ni con la *interpretación* que el otro hace de uno ni con la *interpretación* que uno hace de uno.

Eso podría motivar un espíritu de juego, de apertura y de enriquecimiento. *A menudo motiva tragedias.*

Tempranamente el juego se practica a cuatro, cinco voces, entre padres e hijos.

—Lo que pasa es que vos…
—No, lo que pasa es que vos…

Tenemos miedo. No sabemos cómo seremos interpretados. No sabemos cómo terminará interpretando el analista del futuro a nuestros hijos a raíz del grito que proferimos ayer, o de la caricia en la cadera de anteayer.

El pánico nos azora, nos paraliza. Veamos un problema: ¿Deben los padres salir de vacaciones con los hijos o sin ellos?

El tema es grave. Salir de vacaciones es descansar, relajarse, distenderse. Sin los hijos sería mejor. Con los hijos, significa tener que preocuparse por ellos, y eso da trabajo, y más en vacaciones, fuera de casa.

Si los padres se van solos, la separación puede ser traumática, sobre todo para los niños pequeños. En cambio, dice un sabio de la Universidad de Carolina del Sur, "muchas veces es verdaderamente beneficioso para el matrimonio ausentarse solos. También puede ayudarlos a ser mejores padres, porque están más relajados con los hijos."

147

Totalmente lógico: si se van solos, lo pasan "genial", y cuando vuelvan a casa, por el solo hecho de ser más felices, irradiarán esa felicidad sobre sus hijos y los beneficiarán también a ellos.

Pero, surge el argumento contrario: la separación puede traumar a los chicos y provocarles complejos de abandono.

Leí esas reflexiones y me quedé azorado. ¿Qué hacer? ¿Dejamos a los chicos y nos concentramos en nuestro deleite de pareja? ¿Cómo, si los dejo, voy a ser feliz con mi pareja, si en Copacabana todo lo que haremos mientras el sol adore la piel será pensar en los hijos y en sus eventuales reacciones futuras, que pueden derivar vaya uno a saber en qué neurosis o psicosis? Por suerte los hijos son grandes, salen de vacaciones y nos abandonan en Buenos Aires.

Espero que algún día se sientan culpables...

VII.   Los hermanos sean unidos

La culpa la tiene Dios

"Los hermanos sean unidos", reclama nuestro José Hernández. Sean unidos. Porque no lo son.

Sean es un deber ser, un cometido a cumplir, un sueño a realizar. La ley primera es esa exigencia. Tan exigencia como el amor al prójimo. Que no sería ley ni exigencia si se diera naturalmente, como la hierba tapiza los prados después de la lluvia.

En lo humano nada llueve, nada cae del cielo, ni brota de la tierra por espontánea generación. Ni somos padres por haber engendrado vida, ni son los descendientes filiales remansos de dulzura, hermanos unidos.

Del deber-ser al ser, suelen darse largos puentes sobre profundos abismos.

Los hermanos son los primeros otros que se encuentran en el camino de la vida, los otros más cercanos. Pero en cuanto ejercen entre sí toda la gama de los afectos, desde la ternura hasta la envidiosa competencia, nadie más otro para uno que un hermano.

Dos historias sucesivas se encadenan en el comienzo que la humanidad sueña acerca de sí misma. La una es la de la pareja esencial, Adán y Eva. La otra se refiere a los hijos de esa pareja, Caín y Abel.

A la pareja no le va bien.

A los hijos les va peor.

Ya los vimos. Pero volvamos a contemplarlos; son tan entrañables...

Adán y Eva son dos tipos —prototipos— que disponen

151

de un eventual paraíso, que tropiezan con el mal y que terminan discutiendo acerca de quién tiene la culpa.

La clásica lectura de aquel episodio pone todo su énfasis en la tentación producida por Serpiente que motivó la ingesta de la famosa manzana por parte de Eva.

Suele olvidarse la continuación del relato. Aparece la voz de Dios que interroga a los protagonistas. Dios sabe que un tropezón cualquiera da en la vida; el diálogo posterior es una posibilidad de tomar conciencia y reivindicar los hechos como propios, hacerse responsable o, en todo caso, corresponsable. Ésa fue la prueba que no superaron.

"¿Qué hiciste Adán?
—¿Yo? ¡Nada! La mujer, que tú me diste, ella me dio, y yo comí."

La culpa la tiene el otro, los otros.

Para colmo eran religiosos: todas las culpas conducen a Dios…

A partir de ahí se destruye el paraíso y comienza a construirse el infierno.

Caída se denomina a ese episodio en la tradición de los hombres.

¿Cuál, realmente, fue la caída? ¿Comer de aquel árbol prohibido? ¿O haberse autorizado el destrozarse recíproco en el proceso de la comunicación y de la averiguación de qué nos pasó y por qué nos está yendo mal?

La caída es la que producen entre sí él y ella, papá y mamá.

La caída nunca está fuera. Lo que sucede fuera puede ser realmente muy grave, doloroso, tremendo, pero de *lo que suceda entre nosotros dependerá* que aquello exterior sea más o menos pavoroso. El miedo está dentro de nosotros, entre nosotros.

El cuento sigue, nacen los hijos. Y nacen ahí, en esa plenitud de "la culpa la tiene el otro" y ahí se crían, engendros de un mismo padre, de una misma madre, y son hermanos, así designados por la sociedad.

Los hermanos *sean* unidos.

Porque no lo son.

¿Por qué?

Historia de la envidia

Uno se llama Caín y el otro Abel. Uno es el mayor, el otro es el menor. Uno trabaja la tierra, el otro es pastor de ovejas. Muy desparejos en todo. Seguramente también en el color de los ojos.

Caín y Abel nacen hermanos, son desparejos y han de aprender a comunicarse. Pero la envidia los corroe. La envidia existe, es un motor que está agazapado detrás de las personas y las moviliza, como el titiritero a sus muñecos.

Envidia, celos, competencia. Ésta es la Serpiente que atisba en todos los vínculos. Ésta es la tentación.

La tentación consiste en querer ser-más-que-el-otro.

Muchos son los legados que entregamos a nuestros hijos, entre ellos también la envidia. Aunque queremos que los hermanos sean unidos. Apelemos a Borges, para que nos ilustre:

"Fue en el primer desierto.
Dos brazos arrojaron una gran piedra.
No hubo un grito. Hubo sangre.
Hubo por primera vez la muerte.
Yo no recuerdo si fui Abel o fui Caín."

Así revé el poeta la narración del Génesis IV, 8.

Borges no acepta que Caín o Abel representen estereotipos. Son posibilidades fluctuantes de los hombres en acción, en comunicación. El mismo poeta es parte de la escena y no un contemplador ajeno, impasible.

"Yo no recuerdo si fui Caín, si fui Abel." La historia aquella no concluyó ni concluirá jamás. La envidia es un susurro que quita el sueño e impele a la destrucción del prójimo. Es yo. Es fatídica.

El drama es que Caín se fija tanto en Abel, que se olvida de que él podría ser Caín, ser él mismo.

El mensaje debería ser aproximadamente éste:

"Hijos míos: ustedes son diferentes, con diferentes talentos, diferentes capacidades, dones, gustos, tendencias. Cada uno *puede* construir su mundo, y el que hace lo que puede, lo que quiere, lo que le gusta, es feliz, se ama a sí, y podrá expandir esa ola amorosa a los otros. *Estará satisfecho y no tendrá que envidiar a otros la vida de los otros.*"

Estamos hechos de los dones que hemos recibido. Y de los dones que producimos, que damos.

Tantos dones tiene Caín como Abel. Sólo que no son los mismos. Y nadie les enseñó que esos dones de cada cual constituyen la urdimbre de su trama personal, de esa creación llamada "mi vida". Nacieron y cayeron en un mundo donde el bien es siempre ajeno, y a partir de ahí hicieron florecer la sierpe de la envidia. Y uno no tuvo más culpa que el otro, según sugiere Borges: *los dos están involucrados en los sucesos acontecidos.*

Una vez quiso Caín hablar con Abel, pero éste se rehusó a charlar con su hermano. ¿La culpa? Está diseminada, está *entre* ellos.

Podríamos leerles a nuestros hijos el "Poema de los dones", de Borges:

"Nadie rebaje a lágrima o reproche
Esta declaración de la maestría
De Dios, que con magnífica ironía
Me dio a la vez los libros y la noche."

Así vienen los dones, a la vez; contrarios, paradójicos, pero a la vez. Por eso somos tan desparejos.

Cuento del niño que quiso ordenar su vida

Hay un cuento acerca de un niño que era muy desordenado y que por ese motivo sufría todas las mañanas cuando debía vestirse para ir al colegio porque no encontraba nada, ni sus pantalones, ni sus calcetines, ni sus zapatos, y luego no sabía dónde había dejado el cuaderno, dónde la cartera...

Hasta que pensó y pensó y finalmente encontró el método de organizarse. Antes de acostarse, mientras se iba desvistiendo, escribía en una hoja: el pantalón está en la silla, los zapatos en el baño, la camisa en la cocina, el libro de matemáticas en el ropero... Al concluir escribió: "Yo estoy en la cama".

Estaba muy contento con su genial idea y se fue a dormir con la paz en el alma.

Al día siguiente se levantó, tomó la hoja y fue buscando cada cosa y la encontró en su lugar. Era sumamente feliz por tanta eficiencia.

Al final leyó: "Yo estoy en la cama". Se buscó y no se encontró, y la zozobra fue muy grande... "¿Dónde estoy yo?", se llama el cuento.

¿Dónde estoy yo?

No soy un pantalón, no soy una camisa, no soy un cuaderno. Soy un hombre, en movimiento, en cambio. Soy desparejo, inclusive conmigo mismo, desordenado.

Soy lo que quiero ser, pero me cruzo con el azar, y me torno impredecible. Yo, tú, nuestros hijos.

Si lo desconocido es tanto o más grande que lo conocido, es menester abstenerse de querer comprenderlo todo o reducirlo a leyes de aplicación elemental.

155

Recuerdo que las fórmulas de crianza que dieron buen resultado para mi primer hijo fueron aplicadas automáticamente al segundo hijo y... no funcionaron. Hubo que inventar nuevas normas en concordancia con esa nueva persona.

No hay recetas. Espontaneidad y creatividad son la norma, y estar despiertos para la flexibilidad del cambio.

El azar y lo que uno hace con el azar, eso es el hombre, y sus ficciones.

Cuenta el filósofo José Gaos —en su libro *Confesiones profesionales*— que una vez se encontró con Ortega y Gasset y éste le dijo: "¡Pero usted tiene a la psicología de hijo único!" Luego se enteró de que Gaos contaba con nueve hermanos...

Le fallaba la ley y estaba azorado. ¡Debía ser hijo único y sin embargo tenía nueve hermanos!

Comenta Gaos que la ley, en este caso, no fallaba porque se había criado solo con un abuelo, separado de sus hermanos...

También yo soy hijo único, nieto único de abuelo único, y por eso me encantan estas páginas autobiográficas del pensador español. Como él, también yo me hice maestro, elegí la profesión pedagógica, o me encontré con ella en el azar de las circunstancias y nos elegimos recíprocamente.

Dice Gaos que en esta profesión uno puede ser generoso y dominador a la vez, y que esos resortes ocultos la movilizan:

"Quien no se siente vocado a dominar a los adultos en la vida pública puede encontrar un sustitutivo en el dominar infantes en una escuela."

Sepan los padres cuántas ganas de poder y de dominio se compaginan con el amor.

Hay hijos únicos por naturaleza; otros por haber sido criados por separado; otros por una clara discriminación practicada por los padres entre un hijo y sus hermanos.

Hay hijos de primera, y otros de segunda...

Los hermanos *sean* unidos.

La vida no es lo que nosotros decimos que la vida es. La vida es lo que pasa y sin embargo se queda, y deja hondas huellas, algunas con sabor a herida, otras con aroma de incipiente primavera.

Todos somos hijos únicos, porque todos somos seres únicos, es decir geniales.

La ejemplar historia de José y sus hermanos

Contaremos la historia de José y sus hermanos.

Todo empieza, por supuesto, con los padres. El padre era Jacob. Se peleó con su hermano, huyó de su casa. ¿Adónde? A la casa de su tío Labán.

Llegándose a la casa de Labán encontróse Jacob con una hermosa pastora, Raquel, la hija de Labán. Se enamoró de ella y pactó el casamiento: antes trabajaría para Labán siete años.

Siete años transcurrieron, de trabajo, de amor, de espera.

Se hizo la boda con gran festejo; acudió toda la gente de la aldea. A la noche, Labán le cambió a Jacob la novia y, en lugar de Raquel, le dio a su hermana mayor, Lea, taciturna, melancólica.

A la mañana siguiente fue el escándalo, la protesta encendida de Jacob. De nada le sirvió: ya había desposado a Lea. Labán, además, le explicó: Hay que preservar las buenas costumbres: primero se casa la mayor, después la menor.

Jacob se resignó. Siete años más trabajó por Raquel, la soñada, la postergada.

No podemos eludir el poema magistral de Quevedo:

"Siete años de pastor Jacob servía
Al padre de Raquel, serrana bella;

157

Mas no servía a él, servía a ella,
que a ella sola en premio pretendía.

Los días en memoria de aquel día
Pasaba contentándose con verla;
Mas Labán, cauteloso, en lugar de ella,
Ingrato a su lealtad, le diera a Lía.

Viendo el triste pastor que con engaños
Le quitan a Raquel, y el bien que espera
Por tiempo, amor y fe le merecía.

Volvió a servir de nuevo otros siete años,
Y mil sirviera más, si no tuviera
Para tan largo amor tan corta vida."

Es ésta una historia de amor, de largos amores y de
vidas cortas.

Como este amor, también los otros son complicados, salpica-
dos de engaños y decepciones. Así es el amor, y así lo quieren los
hombres. El cielo, por su parte, contempla y compensa. Mieles y
heridas se redistribuyen en la existencia. Una cierta justicia
inmanente recorre todos nuestros caminos y los reajusta a
patrones que desconocemos.

Raquel era estéril. Jacob hubo de volver a trabajar; esta
vez con el cielo: rezar, clamar, esperar, confiar.

Finalmente "Dios abrió la matriz de Raquel" y ella dio a
luz a José.

Pero Jacob no se satisfizo; quiso más; a ese hijo lo llamó
"José" que en hebreo significa "más, quiero más, que Dios
me dé más hijos". Entonces nació Benjamín, y Raquel
murió ahí mismo, de sobreparto.

José pasó a ocupar el centro de la escena en la vida de
Jacob; lo demás, los demás, eran parte del decorado. El
hijo querido de la mujer más amada y ahora perdida
concentraría todos los soles del amor de Jacob; los otros…

Sueños de un adolescente

José era un adolescente de 17 años y sabía que era el preferido del padre; también sus hermanos lo sabían. Los padres aman a todos sus hijos, pero a algunos los aman un poco más. Y no lo disimulan. Jacob no lo ocultaba. Como su pasión por Raquel era su pasión por José y le regaló, a los ojos de todo el mundo, una hermosa camisa de seda que solamente usaban los príncipes de aquella zona del Oriente.

José se sentía príncipe; era príncipe. Entonces empezó a soñar con su propia grandeza construida, obviamente, sobre la inferioridad de los demás.

En el sueño está el hombre y sus anhelos, sus proyecciones, su vera imagen proyectada desde el inconsciente.

¿Qué soñaba José? Que él y sus hermanos estaban en el campo cumpliendo tareas de cosecha, armando gavillas.

"Y he aquí que mi gavilla se levantó y las vuestras se pusieron alrededor y se arrodillaron ante mi gavilla."

El significante es sumamente lacaniano. Era el hermano menor el que desplazaba a todos sus hermanos y les anunciaba su principado. Soñaba y, a propósito, les contaba sus sueños, para humillarlos más. Y cuando les contaba se vestía con la camisa de seda oriental que papá le había regalado, a él, solamente a él.

José, adolescente, no se contentaba con dominar a los hermanos. Había que destronar también al padre. Entonces soñó el correspondiente sueño:

"El sol, la luna, y once estrellas se arrodillaban ante mí."

Fue y contó el sueño al padre. Éste escuchó el relato y se enojó:

"¿Acaso piensas que yo, tu madre, y tus hermanos vendremos a arrodillarnos ante ti?"

Le molestó lo de la luna. La luna era la mujer, la madre. Había tocado la herida. Se enojó mucho. Tal vez en ese exacto momento se haya arrepentido de tanto amor discriminatorio a favor de José. José iba demasiado lejos, inclusive arrancaba a una madre muerta de su tumba para gobernarla también a ella. No le bastaban las estrellas; necesitaba el sol, y también la luna.

El padre despertó de su propio sueño. Había que hacer algo. Un día llamó a José y le pidió que fuera al campo a ver qué hacían sus hermanos, los pastores.

Hasta ese momento lo había retenido en casa, por el extremo amor que le tenía. Ahora lo manda a la calle, a convivir con sus hermanos, *a hacerse hermano.*

José cumple el mandato y sale a buscarlos. Cuando los encuentra es tarde. Quizás el mismo José quería ser hermano. El propio padre deseaba reparar los errores de la educación. Pero era tarde: los hermanos estaban llagados de resentimiento, de odio contra José y contra el padre Jacob que tanto supo despreciarlos.

Lo vieron venir de lejos y urgentemente tomaron el plan para deshacerse de él. Era tiempo de venganza. Unos dijeron que había que matarlo. Otros opinaron que no había que cometer homicidio. Entonces lo arrojaron a un pozo para que la suerte se encargara de él; seguramente moriría solo. Pero antes se encargaron de quitarle la camisa. ¡Esa camisa de seda de príncipes!

Toda la envidia, todo el resentimiento, estaban estampados en esa simbólica camisa. No lo querían a José, querían su camisa. Despojarlo de ella, despojarlo de su grandeza, de las estrellas y del sol y de la luna. Caería al pozo, a lo más bajo.

Degollaron un cordero y con la sangre untaron la camisa y la llevaron al padre para decirle:

"—¿La reconoces? Es la camisa de tu hijo…"

De *tu* hijo. Tenía doce hijos y ellos le dijeron "la camisa de *tu* hijo". Ese hijo que tú considerabas único, y esta camisa que lo hacía único. Esto quedó de él, su camisa, que es tuya. Te la devolvemos, pero con la sangre de la muerte.

El padre atinó a tomarla en sus manos y meditó en voz alta:

"Fue despedazado José; una mala bestia lo devoró."

Palabras enigmáticas, aparentemente referidas a la bestia que dio muerte a José en el campo. ¿Qué bestia fue ésa?

Ironía de los pozos

¿Quién lo hizo? Supo quién.

Todo por una camisa. Mi reino por un caballo, dijo un rey de Shakespeare. ¡Mi vida por una camisa!

La vida por un pedacito de poder, de reino, de camisa, de superioridad.

El amor. Todos decimos el amor, queremos el amor.

El amor necesita ser repensado. A Jacob no le hizo bien el amor, ni le hizo bien a su adorado hijo José, ni le hizo bien a los otros hijos.

Cuando el amor no piensa, puede ser trágico. Enloquecido por su esposa Raquel, el amor de Jacob se potencia cuando ésta muere, y pierde todos sus límites, y entonces se arroja sobre José vistiéndolo con la camisa.

José-el-preferido.

Públicamente hizo ver que lo amaba a él, y no a los

161

otros. Los otros esperaron el momento de su venganza, que llegó y tomó forma de camisa ensangrentada.

"¿La reconoces? Es la camisa de tu hijo..."

Un día se despertó Jacob y fue cuando envió a su hijo más amado al campo a reencontrarse con sus hermanos. *Quiso programar la fraternidad*, de golpe, de repente. *Programó muy mal.*

Los hermanos no tenían nada programado. Lo vieron venir y se sintieron agredidos por su mera presencia. El odio que reposaba en las sentinas del alma, también él despertó. Era la mala bestia. Tan mala como el amor preferencial aquél.

Cuando Jacob se propuso amar al resto de sus hijos todo lo que logró fue convertirlos en furiosos entes vengativos.

Soñamos, interpretamos, buscamos, encontramos.
La vida es lo que se encuentra. Lo demás es nostalgia de diario íntimo, confesión de medianoche, rezos del amanecer.

Un hombre llamado José sueña con estrellas, sol, luna, y he aquí que se encuentra en el fondo oscuro de un pozo, en el campo, casi en el desierto. Es la caída. Desde ahí solamente se puede rezar.

Pero la vida no es programa; es ironía, incertidumbre, imprevisibilidad.

Una caravana de mercaderes pasa por la zona, busca agua en el pozo y encuentra allí a José. ¿Para qué sirve un joven muchacho, a los ojos de los mercaderes? Para hacer de él mercancía. Lo llevan a Egipto y lo venden como esclavo a un hombre rico de ese país.

Desde abajo crece José, y escala posiciones. Nuevamente alcanza la cima y es nombrado algo así como gerente de esa casa.

La dueña de casa, esposa del señor llamado Potifar, se enamora de José y pretende que éste satisfaga sus ansias sexuales. Otra bestia para José. Él se rehúsa y ella vengativamente lo arroja al pozo de la prisión.

De vuelta al pozo. Ascender, descender, de vuelta al pozo.

La fiera anda suelta por cualquier lado. A veces con causas, motivaciones, explicaciones; otras simplemente porque sí, porque uno la encuentra y nunca sabe qué nombre tendrá.

En la cárcel hay más prisioneros. José comparte su celda con dos personas, dos hombres que eran funcionarios del palacio faraónico. Uno de ellos era el experto en bebidas; el otro, encargado de la panificación. Esos hombres sueñan de noche; para colmo, sueñan casi lo mismo. Cada uno plantea su mundo onírico en términos de su oficio. Las imágenes de uno hablan de uvas, racimos exprimidos en la copa del rey. El otro ve cestas de pan y pájaros que picotean en el pan. José, predecesor de Freud, les explica:

"El Faraón alzará la cabeza de uno y del otro; al uno devolviéndolo a su puesto anterior; al segundo quitándole la cabeza de encima."

Obviamente, un servidor del faraón que permite que los pájaros coman del pan del ser supremo es persona muy descuidada que merece la muerte.

Así sucedió. El experto en vinos fue devuelto a su trabajo para su dicha; el otro fue ahorcado.

¿Qué hizo el jefe de los coperos cuando regresó al palacio? ¿Qué hizo por José? Nada, absolutamente nada. Hizo el gran esfuerzo de olvidarlo y no mencionarlo jamás.

Cosas que pasan. A través de ese sueño y de esa interpretación José podía haber ascendido y salido del pozo; pero volvió a caer. La ingratitud también existe.

La rara gratitud

Rara, la gratitud vulgar, el resentimiento. Está el resentimiento por el mal recibido; está el resentimiento por el bien recibido. El resentimiento siempre encuentra motivo para brotar.

Detengamos el relato y reflexionemos acerca de la gratitud. Hay gente llena de amor y de declaraciones de amor y desprovista de gratitud. El olvido ingrato vulnera las relaciones humanas e infecta las raíces de la existencia.

Gratitud es aceptar que te han hecho un bien, reconocerlo, recordarlo; es una deuda, y tal vez nunca debas pagarla. Una deuda contigo mismo, un deber de recuerdo, de vigencia en la memoria. En la gratitud dejas de estar solo y de ser omnipotente.

El jefe de los coperos no debía enviarle flores y bombones a José, a la cárcel. Él había salido; José permaneció en el pozo. No debía hacer nada por él salvo recordarlo.

"No lo recordó; lo olvidó", dicen las Escrituras. Quiso olvidarlo, con toda premeditación.

¿Por qué? Había en José algo que el jefe de coperos no tenía. El resentimiento de la envidia es la fuerza que se opone a la gratitud.

José le había hecho bien. Pero le había hecho mal por el solo hecho de existir y de interpretar sueños ajenos. El jefe de los coperos quería ser el más grande de los pequeños, y no toleraba la presencia de José en el mundo.

¿De qué hablaremos con nuestros hijos?
¿De la gratitud?
¿De la envidia?
¿Del resentimiento?
¿De la incapacidad de construir la vida propia a menos que sea sobre las ruinas de la existencia ajena?
¿De qué hablamos, nosotros los padres, con nuestros queridos hijos?

164

De regalos. Damos y recibimos regalos. Cosas valiosas que deberían representar sentimientos valiosos. Terminan representando rutinas. La gratitud no es cosa, no es regalo, no es un bien para otro. Te hace bien a ti, hijo, y hacerse bien, eso sí, es una gran cosa.

La subversión de las flacas y sus consecuencias

En Egipto la gente sueña. Es una moda que tienen. Y cada uno sueña, por cierto, con lo suyo.

El Faraón, ¿con qué sueña? Con la economía del Estado, por supuesto. Ve siete vacas gordas y siete vacas flacas, y las flacas se comen a las gordas. Pero no se les nota; siguen siendo flacas como antes.

No le cabe duda al Faraón de que el sueño es malo. No porque unas vacas se coman a otras, no; lo malo consiste en que las flacas se comen a las gordas. Eso es mala señal, ya que en Egipto hay orden, hay organización, y las vacas gordas son las superiores, y las flacas las inferiores. Por algo las unas son gordas y las otras flacas. Eso es orden, lógica, y bienestar.

El mal signo está en el trastorno de ese orden, en la subversión de las flacas —las vacas— que no sólo se dan el lujurioso y obsceno placer de comerse a las gordas, sino que después no se les nota, y no se hacen gordas, con lo cual la subversión de la flacura contra la gordura es total y absoluta.

El Faraón despertó sudoroso y acongojado. Llamó urgentemente a sus sabios para que le interpretaran el sueño. Los sabios eran sabios y sabían interpretar, pero tenían miedo y siempre le daban buenos vaticinios. El Faraón insatisfecho clamó por ayuda. Entonces llegó el jefe de coperos y se acordó de José. ¿Por qué se acordó? Por miedo. Si otro descubría el poder de José y él lo ocultaba, le podían alzar la cabeza por encima del cuerpo. Además el jefe de los coperos, forzado por las circunstancias, imaginó una buena retribución. Le contó al Faraón su experiencia con aquel extranjero en la cárcel.

Traen a José, lo bañan, lo acicalan, lo ponen presentable. José sale del pozo. Del pozo al palacio. Ahora interpreta los sueños del Faraón: siete años habrá de bonanza, de riqueza en los campos, en las mieses, en los ganados; luego vendrán siete años de sequía y pobreza que se devorarán todo el bienestar anterior.

El Faraón supo que le decía la verdad y nombró a José ministro de finanzas. José administra maravillosamente la economía y prepara víveres durante los años buenos para sobrellevar los malos. Llegan los siete años flacos. Egipto tiene provisiones y las vende.

De todos los países de alrededor viene la gente a comprar alimentos. Entre ellos, los hermanos de José. Se arrodillan ante él. Ante el ministro egipcio. Y no lo reconocen.

Él, José, los reconoce. Ellos se olvidaron de él; él nunca se olvidó de ellos; los esperaba.

El intérprete de los sueños ajenos ve cumplido sus propios sueños:

"Y he aquí que mi gavilla se levantó y las vuestras se pusieron alrededor y se arrodillaron ante mi gavilla."

Les pregunta por su familia, por el padre, por el hermano menor, el otro hijo de Raquel. Como si preguntara por sí mismo. Finalmente estalla en llanto, no se puede contener y les dice que él es José. Ellos se aterrorizan, temen el castigo. Él los tranquiliza. Pregunta: "¿Aún vive mi padre?"

Después les pide que vuelvan y que traigan al padre. Éste se presenta con sus hijos ante el ministro del faraón. Se arrodilla frente a él. Se cumple el segundo sueño:

"las estrellas, el sol, la luna…"

166

¿La luna? Sí, también la luna. Ahí, entre ellos, estaba Benjamín, el segundo hijo de Raquel, el que nació cuando ella se moría, y que era idéntico a su madre.

José lo miraba y veía a su madre y se estremecía:

"las estrellas, el sol, *la luna*..."

La ironía de la vida. El padre que tanto quería a su hijo, ahora se arrodillaba delante de él.

Del pozo a las estrellas, al sol, a la luna.

El final feliz: allí vivieron, en Egipto, todos, hermanos y padre, junto a José, como príncipes...

O no fue un final feliz... Hay maneras y maneras de ser esclavo. Los palacios a veces son pozos; los pozos, palacios.

¿Qué era Jacob en el palacio aquel sino prisionero de lujo? ¿Era feliz? ¿Es feliz un padre que se arrodilla ante su hijo? *No sé.*

Cuando José preguntó: "¿Aún vive mi padre?", ¿lo hizo por amor, por nostalgia o porque necesitaba que el sueño de las estrellas, el sol y la luna se cumpliera totalmente? *No sé.*

¿Qué sabemos de nosotros mismos?

La trama del revés

Finalmente José habla a sus hermanos y les dice que no se sientan culpables por lo que le habían hecho. En realidad, les explica, fue Dios quien así movió los hilos de la historia. Fue Dios quien deseó traerlo a Egipto para que salvara al país y también a su familia, del hambre. Son inescrutables los caminos de Dios.

Eso dijo José.

No sé si creerle. No sé si realmente perdonaba a sus hermanos o es que prefería haber sido un elegido y enviado de Dios para esa alta misión que se adjudicaba.

No sabemos nada de nadie.
Todo es interpretación, lectura y relectura.

Desde niño vengo leyendo este relato y cada vez distingo en él inéditas luces, imprevistas aristas.

En definitiva pareciera decir José:

> *Nadie tiene la culpa, nadie debe considerarse causa y motivo de la vida ajena. Los hilos de la vida se encuentran y se traman y van configurando un diseño que sólo a la postre y desde lejos, desde las alturas, puede ser discernido.*

Buscar a José en sus **vivencias infantiles**, en sus relaciones con sus padres, en su madre muerta tempranamente, en sus hermanos mayores hijos de la esposa malquerida, es buscar correctamente: *pero reducirlo a eso, sería francamente erróneo.*

José *es* sus padres, sus **hermanos**, la camisa de seda, la mujer de Potifar, el cielo, **las estrellas**, los pozos, los sueños, la riqueza, el hambre. *Pero es él, José.*

Nuestros hijos son ellos. El juego de la interpretación es válido e, inclusive, indispensable. Pero he de tener tantos ojos como Argos y tantas luces como el cielo estrellado.

La tendencia a responsabilizar a los padres por las vidas frustradas de los hijos, en cuanto opera automáticamente, es malsana.

Los hijos no pueden ser felices, exitosos, brillantes por cuenta propia; y malos, drogadictos, perversos y fracasados por cuenta de los padres. Ese maniqueísmo tan impuesto en la sociedad debería ser desterrado.

José soñó por gusto, placer y deseo propios. Las alternativas de la vida fueron múltiples y complicadas. *La camisa de príncipe no se habría adherido a su cuerpo si él no se hubiese considerado príncipe.*

Nada puede hacer Jacob por José si José no asume el papel que Jacob le adjudica.

En los pozos donde otros sucumben, José trepa y asciende. No obstante, el padre es culpable, de las consecuencias sombrías de su amor.

¿Culpable? No me gusta ese vocablo. Prefiero "responsable".

Ignoramos cómo se cruzan los caminos de la existencia de uno con los de otros y ahí se desvían, salen de su propia vía para encaramarse en perspectivas no imaginadas.

Jacob amó *demasiado* a José, es cierto. Y desamó *demasiado* al resto de sus hijos. Cuando quiso que los hermanos fuesen unidos, ya estaban destrozados en su fraternidad. La mano del padre que ayer produjo barreras de odio, hoy quiso eliminarlas. Era tarde...

Vinieron los castigos, las cosechas de las siembras, la pérdida del hijo más amado, el hambre, la humillación.

¿Qué es obra de quién?

En la trama, en la interpretación lejana de los acontecimientos, se vislumbra algo así como otra mano que los va atando y desatando hacia otro significado.

No puede eludirse la responsabilidad, sin embargo. Tampoco puede ser suprimido el asombro.

Decía León Felipe:

"No andes errante...
Y busca tu camino.
—Dejadme—.
Ya vendrá un viento fuerte
que me lleve a mi sitio."

Tu camino. Y el viento fuerte que te lleva.
Busca, hijo mío, mientras encuentras.

VIII.   El caos de los valores

El prêt à penser

Vivimos entre mundos; los que fueron, los que están siendo, los que se avizoran de lejos, entre brumas.

Ayer fue la seguridad. Hoy es la incertidumbre.

Stefan Zweig, en su libro autobiográfico *El Mundo de Ayer*, comienza afirmando:

> "Si me propusiera encontrar una fórmula cómoda para la época anterior a la Primera Guerra Mundial, a la época en que me eduqué, creería expresarme del modo más consistente diciendo que fue la edad dorada de la seguridad. En nuestra casi milenaria monarquía austríaca, todo parecía establecido sólidamente y destinado a durar, y el mismo estado aparecía como garantía suprema de esa educación."

Lo que era estaba destinado a durar; las cosas, los objetos, las carreras, los logros, las casas, las familias. Seguridad de la perdurabilidad de las relaciones en la vida de cada uno y después de ella, en la vida de los hijos y de las previsibles generaciones futuras.

Hoy es el mundo de la pasajeridad; los artefactos ya no se arreglan, se cambian; los autos son para dos o tres años; y así también las relaciones humanas.

La política, e inclusive los credos religiosos azogados, se *aggiornan* para que la prisa del movimiento no los devore como vetustos recuerdos.

No estamos a mitad de camino; más bien somos la

173

mitad por donde se cruzan caminos contradictorios de mundos encontrados.

Lo sólido, lo endeble y lo gaseoso *se mezclan* para configurar el terreno incierto bajo nuestros pies. Unos y otros apelan, entonces, al *prêt-à-penser*.

Así como desfilan por las pasarelas las niñas esbeltas y los varones saludables enseñándonos a todos cuál es el *prêt à porter* que nos hará bellos, del mismo modo desfilan por el aire, la radio, la TV, la peluquería, el cóctel, el *prêt à penser* de las ideas.

El vestido prefabricado que nos queda bien a todos. Por eso en algún momento del día, en la ancha avenida peatonal, todos somos iguales en edad, en sexo, en apetencias, en ideas acerca de la economía, la democracia, el SIDA, los *marines*, la preservación de las focas.

Nunca hubo tanta igualdad en la humanidad.

No es igualdad. Es uniformidad. Es aplanamiento; las ganas de ser nadie. Nos gusta así, nos proporciona calor de rebaño, la seguridad de que todos somos iguales, comemos lo mismo, bailamos a la misma hora, aplaudimos la misma película, *todos* de sport, o *todos* de gala, según sea la orden tácita que corre sutilmente entre *todos*; *todos* a favor de la economía de mercado, *todos* contra el aborto, *todos* buenos, *todos* inteligentes, *todos* repitiendo lo mismo de Boca, del beso, del sexo, de educación, de actrices, del colesterol, de los derechos humanos, de la mujer manejando autos.

No pienso, pero existo.

Mi problema es la libertad.

La libertad está a disposición de todos.

Pero hay que ser libre para algo. Somos tan libres que nos toca elegir también el *para qué* de la existencia.

La libertad, que no se usa se torna neurosis. Soy de nadie. Nadie es mío. Ni mío soy. Hay que vivir todos los días, hay que cumplir días.

La alternativa es pensar el prêt à penser.

No elegiste tu vida, hijo; pero te toca elegir para qué vives.

Meditación de la zapatería

Hablemos de zapatos. Mi hijo mayor decidió un día regalarme un par de zapatos. Debía comprarme los que a él le gustaban.

Fuimos. Me senté a medir el calzado anunciado. Mi número es el 41, dije. Trajeron 41; no me iba. Ese problema que tengo con el empeine, según me explicaron expertos vendedores de calzado y mamá durante toda mi vida.

Mi hijo dijo que me trajeran un 42. Lo miré azorado. Me trajeron un 42. Calzaba fantástico. Compramos y salimos.

Luego me quedé pensando y memorando decenas de escenas en zapaterías diferentes durante decenas de años frente a bellos zapatos que no me quedaban bien porque *yo era 41*, y pocos 41, muy pocos, llegaban a satisfacer las exigencias de mis pies.

Descubrí que tal vez yo no sea 41; tal vez soy 42...

Cuento esto porque creo que, aunque tomado de la baja vida de los pies, tiene que ver con la alta vida de la mente, de los valores, de la educación, de la libertad, de lo que somos. De lo que creemos que son y/o deben ser nuestros hijos.

De lo que creemos que somos. Y de las colisiones entre el yo y su mundo ambiente por lo que él dice que es. Y cree ser.

A los cincuenta y tantos años de mi meditativa existencia vine a descubrir que soy 42 y no 41.

¡Eureka! Me hace sentir bien, muy bien.

Miro atrás y me hace sentir mal, muy mal...

Miro adelante y pienso: ¿cuántos años necesito aún para revisar todas mis creencias sujetas a definiciones que nunca revisé? Felizmente muchos, muchos años...

175

La marcha de las generaciones

Lo humano es continuidad de generaciones. Éstas se llaman así porque generan, desde lo físico hasta lo espiritual, hijos enriquecidos por el saber de siglos, un saber donde se mezclan los genes estrictamente biológicos con los culturales. Esa transmisión es una tradición, el trasvasamiento de un mensaje.

Lo humano es tal porque se maneja con esa tradición, pero también tiene la capacidad de sobrepasarla, de no someterse a ella totalmente, de inventar, añadir, modificar, rebelarse y reestructurar parte de su programa ingénito y congénito.

Nosotros somos padres porque la tradición así nos considera, nos convoca.

Decir "padres", decir "hijos", es decirlo desde un específico marco cultural que se introyecta en esos vocablos y los llena de sentido, de deberes, derechos, ansiedades, preguntas, esperas.

Somos padres porque fuimos hijos. Porque hubo antes que nosotros padres e hijos.

Crecemos porque tenemos raíces y, a partir de esas raíces que nos empujan desde abajo, desde atrás, es que podemos plantearnos proyectos de liberación y rebeldía.

Ésa es la marcha de las generaciones.

"Una generación va
y otra viene,
y el mundo en su lugar
permanece."

Son versos del viejo Eclesiastés, así como la frase "nada nuevo hay bajo el sol".

El universo no se modifica con nuestro paso. Nuestro mundo dentro del universo es el que sufre cambios, porque hay movimientos de generaciones.

El padre que no se enfrenta a su hijo, no es padre.

El hijo que no enfrenta a sus padres, no es hijo.

La tradición que permanece inmutable, se seca, se muere.

La rebeldía que no se incrusta dentro de la tradición para dar lugar a una nueva tradición es vanidad y absurdo estéril.

Estamos viviendo en una nueva tradición, la que pretende establecer el cambio como objetivo supremo de la existencia.

Esta nueva tradición no quiere que haya tradición, que algo permanezca. Todo ha de ser nuevo, joven, recién nacido. Este afán de juventud exultante termina acumulando vejeces prematuras. Dice Octavio Paz:

"Nunca se había envejecido tanto y tan pronto como ahora. Nuestras colecciones de arte, nuestras antologías de poesía, y nuestras bibliotecas están llenas de estilos, movimientos, cuadros, esculturas, novelas y poemas prematuramente envejecidos."

Así en el arte, como en la ciencia, como en la vida. Vértigo del movimiento hacia lo inconcluso. Fragmentos. Nada perdura. Es la condición dramática de nuestra civilización.

Somos posmodernos. El cambio por el cambio ya está produciendo fatiga. Se respira en el ambiente ciertas ganas de volver a casa, a alguna casa.

El fetichismo del cambio, de la última nota aparecida en la última revista, adquiere tono autoritario y la libertad frente a la tradición se torna esclavitud de lo nuevo.

Volvamos a casa.

Entiendo por *volver a casa* recuperar el equilibrio perdido entre tradición e innovación, conservación y libertad, amor y respeto, permanencia y cambio, padres e hijos.

Konrad Lorenz explica el tema desde el ángulo global del funcionamiento de la naturaleza. Hay en todas las especies, sostiene, un equilibrio vital entre adaptabilidad e invariabilidad. Están las estructuras que tienden a no variar, a permanecer; y está la necesidad de cambio promovida por nuevas situaciones que requieren nuevas adaptaciones.

La invariabilidad produce seguridad, protección. La adaptabilidad permite el crecimiento, el desarrollo, la libertad, la novedad creadora.

"Un magnífico ejemplo de esto es el crecimiento de un hueso. No basta con que las células formadoras del hueso, los osteoblastos, almacenen oseína, sustancia rápidamente osificable.
Al propio tiempo deben trabajar ciertas células, los osteoclastos, capaces de destruir la sustancia ósea envejecida."

La imagen es precisa. El ser viviente necesita solidificar estructuras, pero también necesita quitarse de encima lo que decae y muere porque si así no lo hiciere ello le sería un impedimento para seguir corriendo.

Osteoblastos *para osificar*. Osteoclastos *para destruir lo que no sirve ya*. Conservación y cambio. Permanencia y movimiento. Tradición y novedad.

Cuando aparecemos en el mundo no decimos "pienso, por lo tanto existo". Lloramos, gemimos, pedimos, reclamamos apoyo, sustancia alimenticia, atención, sostén.

Así se van armando las estructuras primarias de la existencia que la cultura provee a través de los padres y su generación. Cuando la Ley ordena el respeto a los padres sugiere que se respete el mundo que los padres representan, la tradición que ellos son.

El respeto es previo al amor. El que respeta quizás ame. El que no respeta nunca conocerá el amor.

178

Sólo porque uno crece desde esa tradición que los padres encarnan puede uno alcanzar la madurez para tornarse crítico, asumir la libertad, rever todo lo visto, poner en duda todo lo dado por obvio y absoluto, y practicar el derecho a la autonomía creativa.

Antes no podrá hacerlo. Una vez constituida la estructura ósea de los osteoblastos, les llega el turno a los osteoblastos: evaluar lo caduco, lo que no me sirve, lo que no quiero. *Sólo entonces puedo decir, verazmente, que pienso.*

Éste es el juego de la existencia, la intermitente búsqueda de seguridad, de útero materno, de confianza paterna, y la natural tendencia a independizarse de esos marcos de contención, patear el tablero, decir pienso, afirmar el yo. Ambos movimientos requieren de firmeza, de decisión, y de franqueza. Y de confianza.

Ya no hay más lugar para el autoritarismo. Nadie es padre ni madre por decisión del registro civil o del diccionario.

Yo no valgo, hijo mío, porque soy tu padre. Soy tu padre si valgo.

Si encarno valores, modelos de conducta que te sean valiosos a ti. Me respetarás más por lo que soy, por lo que valgo, no por lo que represento.

Pero hasta que aprendas a volar tendrás que apoyarte en experiencias recogidas y saberes acumulados por la tradición a la que pertenezco. Luego volarás solo, con todo el ímpetu que puede proporcionarte una plataforma firme para el despegue.

Formas de vida

Hay valores económicos, hay valores estéticos (la belleza), valores éticos, valores cognoscitivos (las ciencias, la verdad), valores técnicos o tecnológicos, valores religio-

179

sos (lo santo), valores políticos...

En su libro *Formas de vida*, formula Edward Spranger una tipología basada en las alternativas de construcción de la personalidad que cada individuo tiene. Cada tipo humano toma un valor y lo hace eje de su existencia y sobre él rotan los demás valores como secundarios, complementarios.

Todo ser humano es un haz de tendencias y necesidades que forman como círculos concéntricos en los que se proyecta el yo.

"El círculo más pequeño constituye el yo de las necesidades y las apetencias, el mero ego que ha de ser pensado como sujeto del instinto de conservación y de todos los impulsos e instintos fundamentales en el cuerpo."

Es el *yo biológico*. Ese yo se complace con satisfacer las necesidades más perentorias, las materiales y sensitivas del ser.

Le sigue el *yo económico*. Está ligado al anterior pero es más especulativo.

En el biológico los valores son *lo agradable y lo desagradable*. En el económico aparecen los valores de *lo útil y lo nocivo*. Calcula, premedita.

"No es capaz de satisfacción duradera. Apetece siempre más y ha de apetecer siempre de nuevo. Sólo en el trabajo económico productivo puede residir el asomo de olvido de sí mismo..."

Tercero en este orden es el *yo de los actos estéticos*. No es dependiente de las exigencias del cuerpo, alza vuelo hacia la belleza; también desea el placer, pero su goce es el estético. Se apoya en la realidad pero se nutre de la fantasía. La realidad es un montón de piedras ordenadas; la fantasía logra transformarlas en catedral.

180

Sigue el *yo teorético*. Los yoes anteriores —el biológico, el económico, el estético— están sumergidos en sí mismos. El teorético sale de sí, reprime la subjetividad cuando busca la verdad que ha de ser objetiva, fuera de él, independiente de su placer o de su bienestar. Ésta es la vía hacia lo universal, lo que vale para todos y no solamente para mí y mi circunstancia.

Ahora ingresamos al estrato más alto, el *espiritual*. Aquí aparece el *yo religioso*. Busca el sentido de la existencia, la dimensión de eternidad dentro de este devenir pasajero que es la vida. Desea la salvación. Salvarse de la caducidad, del absurdo de un transcurrir sin sentido. La religión es religar los cabos sueltos de la realidad y componer con ellos un diseño superior, abarcativo.

Cada uno de estos yoes o de las dimensiones que representan están en el hombre, radican en la potencialidad de su existencia y cada individuo arma con ellos su "menú" existencial, dando prioridad a unos y marginalidad a otros.

Son los valores.

Están todos presentes, pero sometidos a un valor regente que tiene hegemonía y pone a todos los demás a su servicio.

Por ejemplo: el *hombre religioso* no deja de ver la belleza del mundo, no desconoce la realidad de su cuerpo exigente, ni ignora el mundo objetivo de la verdad; pero todo ello es canalizado hacia la visión mística del universo. Al revés, el *hombre económico* dispone también de todos los otros valores, pero los usará en función de la utilidad. El *hombre político* ve en la sociedad, y en el gobierno de la misma, el valor mayor.

Así como las personas, también las épocas, las generaciones manifiestan preferencias, tendencias que dan lugar prioritario a un valor por encima de los otros.

En la nuestra es el homo œconomicus *el que reina. El valor económico prevalece y domina todo el panorama.*

No siempre fue así. En tiempos pasados el valor religioso era el dominante, el hilo conductor que traspasaba los momentos fundamentales de la vida pública, del hogar, de la calle, de la ciencia.

Newton investigaba con el entendimiento las leyes que —según su convicción— Dios había impreso en la naturaleza. La ciencia, pues, estaba al servicio de la religión.

Max Weber realiza un estudio muy sugestivo acerca de cómo el valor religioso de los protestantes, que involucra una rigurosa perspectiva ética, ha influido en el crecimiento de los Estados Unidos y ha dado lugar al capitalismo.

En los textos citados de *La Gloria de Don Ramiro* descubrimos que los personajes de siglos atrás vivían ante la mirada eterna de Dios. Ese sentirse mirados desde lo Absoluto les otorgaba un sentimiento de seguridad, de sentido-de-la-existencia. La mirada inquisidora de Dios por una parte puede producir culpa pero, por otra, genera una vaga sensación de ser-delante-de-alguien, eso es mucho.

Retomemos la novela *Padres e hijos* de Turguenev. Dice la nueva generación, rebelde, nihilista:

"—Pienso en lo agradable que es para mis padres la vida. Mi padre a los sesenta años tiene preocupaciones, habla de remedios paliativos, asiste a los enfermos, es generoso con los campesinos, en una palabra, se divierte. También mi madre tiene sus días tan llenos de diversas ocupaciones que apenas le dan tiempo a volver en sí; y entre tanto yo...

—¿Tú, qué?

—Yo estoy aquí acostado a la sombra de este alimar... el estrechísimo espacio que ocupo es tan reducido en comparación con el restante, en el que no estoy, en el que no tengo nada que hacer, y la parte de tiempo que me corresponde vivir es tan mezquina ante la eternidad..."

¿Qué pasó? ¿Cómo han cambiado tanto los valores de una generación a la otra?

La primera, padres, madres, *sabe qué hacer*, tiene qué hacer. Tiene los días llenos de ocupaciones. Vistos desde la modernidad crítica, es gente que *se divierte* haciendo *diversas* actividades en las que cree, y no todas están relacionadas con la utilidad, la practicidad.

Días llenos de ocupaciones.

El mundo ha cambiado: la vida está de un lado; la diversión, de otro.

Los valores son siempre los mismos.

La diversión es hoy una programación de felicidad fuera del marco de lo que venimos haciendo diariamente. Es como si tuviéramos dividida la existencia por sectores:

— el trabajo
— la rutina
— los compromisos
— la diversión

En fines de semana, en las vacaciones, en los días especiales, en esas ocasiones se cumple con el otro deber: *el deber de divertirse.* Y ese deber, divertirse por deber, es fatalmente triste.

Arkadi, otro personaje de Turguenev, reflexiona:

"—Habría que construir la vida de forma que cada minuto fuese importante."

Es la modernidad. Arkadi, y otros jóvenes de su tiempo, tienen valores, *tienen todos los valores*, quieren todo y por eso sufren. Su afán de infinito es infinito. No le basta al protagonista el lugar que ocupa en el suelo sobre el cual está acostado; piensa en todo el resto del espacio que él no ocupa; no le basta el tiempo que ha de vivir, medita el tiempo eterno que no le ha de pertenecer.

Esa ansiedad infinita de infinito derriba muros y barreras, lo quiere todo, y por lo tanto cae en la nada. De ahí el nihilismo, que es creer en nada (nihil = nada) y deriva de *creer en todo, querer todo, no estar dispuesto a prescindir de nada.*

Porque las manos están vacías.

Pensar y creer

Descartes nos ha ido conduciendo a la soledad en el desierto del "Pienso, por lo tanto existo".

Creía Descartes que con ello lograba su primera verdad basal y sobre ella construiría un universo. Lo hizo, pero fue una construcción efímera. La valedera era la fe. Descartes *era* religioso y jugaba a razonar.

Pienso, existo. Es todo lo que sé, y en verdad, es difícil ir más lejos.

Ese valor, el del pensamiento, junto con el valor religioso sostuvo la historia humana en las diversas culturas durante largas generaciones.

El valor religioso provenía del monoteísmo bíblico. *El valor cognoscitivo,* de Grecia. Se juntaron y se amalgamaron, pero nunca terminaron de aparearse en Occidente. Lucharon entre sí. Se sabían rivales.

La religión sabía que llevaba las de perder ante la razón. La religión era la vieja generación, la razón era la nueva.

El combate era inevitable. Hubo armisticios varios, pero todos con el zurcido a la vista.

Descartes era un hombre religioso. Quería salvar la religión y necesitaba hacerlo desde la razón. La fórmula cartesiana sirvió a futuras generaciones para que dejaran de creer definitivamente:

Pienso, nadie pensará por mí. Existo, solo, a solas, independiente. Nadie más que yo. Nadie más que tú.

Religión es re-ligarse, re-unir. En la religión la soledad se supera.

Se piensa a solas, pero se cree con otros. Si Newton no compartiera la verdad con alguien, el suyo seguiría siendo conocimiento.

Creer, en cambio, es compartir y ser-parte-de.

Se cree en y se cree con. En ambos casos la soledad queda redimida. Dice el Salmista:

"Aunque camine yo por valles de muerte, no temeré el mal. Tu bastón y Tu cayado, ellos me sostienen."

Dios me mira, te mira, nos mira. En sus ojos nos podemos ver recíprocamente.

En la marcha de las ideas y de los pensamientos la razón fue desplazando y desacreditando a la religión. El valor-eje de la religión, por tanto, se fue erosionando, fue perdiendo vigencia, aunque siguieran existiendo iglesias, sacerdotes, templos, catecismos y fieles.

Quedaba el valor-eje de la razón. Sobre él crecieron gozosamente Voltaire, los enciclopedistas, el iluminismo, y el mundo contemporáneo, racional, tecnológico, el del progreso.

"Racional" significaba "mejor".

El valor eje existía, y por tanto el mundo de los valores seguía existiendo como mundo, organización, ovillo establecido coherentemente sobre un eje central, *aceptado por todos.*

De eso se trata, de la aceptación de todos. Los valores

no están sueltos; no son mariposas que uno caza, colecciona, toma, arroja. El individuo es parte de una generación, de una cultura; viene al mundo y el mundo viene a él, lo inunda, lo perfuma, le da color, piel, estructura de pensamiento y de creencias. Le da valores y la organización de ellos sostenidos por el valor hegemónico.

Yo soy en el mundo, del mundo, por el mundo. Está en mí. Es cierto que tengo mi propio mundo, pero a partir del otro que no es propio, que es compartido con millones de seres coetáneos.

Dijimos antes, citando a Spranger, que cada persona es un tipo humano con una caracterología especial que lo impulsa a dar mayor énfasis a ciertos valores y a relegar otros; pero eso siempre *dentro del mundo*.

Yo, en mi estructura interior, presto particular atención al cultivo de valores cognoscitivos, científicos, espirituales, religiosos; a ellos procuro dedicar la mayor parte de mi tiempo y de mis afanes.

Junto a ellos se alinean otros valores, los éticos, los familiares, los estéticos… Pero vivo en un mundo cuyo eje es el económico, y no puedo dejar de prestar atención a ese eje que me domina como domina a todos.

Gran parte de mi esfuerzo he de dedicarlo a ese valor, contra mi voluntad más consciente en el campo de los valores.

Pero si quiero seguir existiendo en este mundo, con mi familia, con mis libros, debo respetar y atender a ese valor, aunque no sea de mi preferencia.

Esta doble conciencia debe ser mantenida vigil para conocer cuáles son los sectores de mi libertad y cuáles los de mi dependencia.

Soy libre y soy condicionado. *Y esto debo transmitirlo a mis hijos.*

Tu libertad es condicionada; tus vocaciones son condicio-

nadas; todo tu ser es un ser condicionado. A partir de este saber puedes comenzar a ser libre.

La diosa economía

El mundo actual está totalmente condicionado por lo económico. Es el único valor indudable. Aun quien lo rechace está condicionado por ese valor. Todos estamos forzados a ser economistas.

En mi temprana juventud, no tan lejana, pensaba yo; *también* hay que trabajar para ganar dinero, para subsistir dignamente y poder alcanzar los otros valores que uno considera superiores. Eso *también* se ha revertido.

Hay que trabajar para ganar dinero, y *también* hay que cultivar el alma, cuando Dios provea...

No obstante, crecen nuevas generaciones que no pueden tomar en serio un mundo cuyo eje es el económico, el ganar más que otros, el tener más que otros, el pasear más que otros, el vivir en competencia *contra* otros.

Siempre hubo economía, pero la de hoy es de guerra, de destrucción. No importa cuánto se tiene. La economía como juego original termina cuando uno consigue lo que quería: bienes para vivir bien, mejor, tranquilo.

El medio, ahora ha dejado de ser medio, y es fin. Lo que vale es comprar y vender, invertir, premeditar en una especie de partida de ajedrez eterna donde, mientras dure la partida, siempre se gana, porque se gana el divertimiento de hacer lo único que sabemos hacer: *ganarle a alguien.*

El mundo no ha perdido sus valores. Los valores han perdido su ser mundo.

Están, existen. Está el amor, está el brote religioso, está la visita al museo, está todo lo que estaba. Pero está apiñado, sin orden, sin jerarquías. El eje económico no es eje, es valor exclusivo. Los demás bailotean alrededor, juguetonamente. Nadie los toma en serio. Son la diversión, aquello a que nos dedicamos cuando no tenemos nada serio (léase: económico) que hacer.

Mientras el eje era religioso, los valores giraban sobre él religiosamente.

Mientras era racional, los valores giraban sobre él racionalmente.

Mientras era ético o estético, los valores giraban en torno y constituían un mundo.

Se creyó en Dios; después en la Razón; después en el Bien; después en la Belleza.

Se hace difícil creer en el dinero. Lo hacemos, por cierto, pero en el fondo queda el resabio amargo del vacío.

Los valores están y los jóvenes los buscan, los quieren. Ellos buscan la otra cara de la luna, hasta ahora velada, la otra faz de lo humano, la que da calor a la existencia, la tibieza de la humana leche de los sentimientos, del mundo afectivo, de las represiones que el inconsciente contiene y quiere dar a luz con fórceps, la espontaneidad creativa, la libertad del amor.

Están los valores, están.

Todos los valores son el hombre. También los relegados por la modernidad, los metafísicos, los del misterio, los que buscan a Dios y anhelan el infinito, los transpersonales. También ellos existen. Tal vez sean el eje que se está buscando. El único que puede llenar el vacío de tanto progreso-para-nada.

No podemos vivir sin creer, sin religarnos. Crecer es crear, confiar. Crear es creer. De eso deberíamos hablar con nuestros hijos. Si tuviéramos tiempo, claro.

Cuentos para meditar

La diosa economía necesita uniformidad. La uniformidad, a su vez, postula la relativa anulación de todos los demás valores.

Los padres quieren lo mejor para sus hijos. Lo mejor es ser como todos, hacer como todos, bailar como todos. Lo mejor es la uniformidad. La sociabilidad, la simpatía, las buenas ondas.

Exhorta la mamá a su hijo:

"—Te lo tengo muy dicho. Debes tener cuidado de con quién te juntas. Tu pobre madre siempre se ha desvivido por procurarte buenas compañías y tú... Baila nene; saca a bailar a alguna mascarita decente; baila un poco, que el ejercicio te hará bajar de peso, para que no te llamen todos gordinflón, los muy envidiosos.

¿Ves aquella niñita pastorcilla? Pues con ella podrías bailar. Anda, anímate. ¿No quieres que me acerque yo a pedirle que baile contigo?

—Pero si sabes que no me gusta bailar, mami, ni siquiera sé.

—Pues hay que aprender, hijo."

El fragmento está tomado de *Baile de Máscaras*, un cuento de Francisco Ayala. Si hay baile de máscaras *hay que* participar en él. Si no te gusta bailar, si no sabes bailar, *hay que* aprender y, aunque más no sea por cumplir, bailar un poquito.

Mejor que bailes con alguien decente.

El argumento motivacional: bailar adelgaza, y es bueno ser delgado.

Lo que no puede el hijo, lo hará la madre por él, como ser, pedirle a una chica que baile con él.

Cosas de la vida. Pero así es ésta. No es la que cuentan los filósofos cuando abordan los enormes problemas de la existencia, el ser y el tiempo, el ser y la nada, el ser y el tener. No alcanzamos a llegar tan alto y tan lejos.

La vida son los otros. Ser como los otros, depender de lo que los otros digan. Porque si no bailas, hijo mío, ¿qué dirán los demás, qué pensarán de ti, en qué grado de impopularidad caerás? Y si no sales los sábados por la noche, ¿hemos de pensar que no tienes amigos, que eres un marginado y que, en fin, eres un descastado?

En principio consideran los padres que el hijo que es como todos los demás, es buen hijo y tiene amplias perspectivas de llegar a ser buena persona.

Desconfían los padres de hijos que no bailan, de los que no tiran serpentinas y talco o huevos a los amigos que festejan algo trascendente.

De ellos desconfían también los maestros.

Todos desconfían de alguien que no es como todos.

Necesitamos modelarlos a imagen y semejanza de las exigencias de esta sociedad contemporánea, tan masificadora, tan entrometida en todos los vericuetos de la vida personal.

Hay momentos de soledad indispensables.
Hay momentos de sociabilidad indispensables.

He aquí una fábula de James Thurber que ilustra el punto. Cuenta de una araña que vivía en una casa vieja y allí tejió una hermosa tela para atrapar moscas. Cada vez que una mosca se enredaba en la tela corría la araña a devorarla para que las otras moscas no la vieran ahí atrapada, y siguieran considerando esa red segura para tomarse un descanso.

Pero hubo una vez una mosca medio inteligente, como la define el autor. Revoloteaba y no se decidía a posarse en los hilos de la araña.

La araña la invitó a bajar. La mosca rehusó:

"Nunca me poso donde no veo otras moscas",

dijo, y se alejó y voló hacia un lugar donde había muchas moscas.

Cuando iba a posarse pasaba por ahí una abeja zumbona que le hizo saber:

"Ten cuidado, estúpida, que es papel de moscas y ésas están todas presas..."

Pero la mosca no atendió a la advertencia, y ahí se fue, a su exterminio, pero *con* las demás...

Las fábulas son para meditar. La multitud no es garantía de nada. Más bien es garantía de pegoteo, de publicidad arrebatadora, de moda virulenta. También es cierto que produce seguridad, esa sensación tan dulce de ser colegas.

La identidad personal necesita, obviamente, de seguridad, de marcos de contención, del ser como todos. Pero también se construye en aquellos raptos del ser diferente que se dan en circunstancias que no se comparten con otros o, al menos, no con multitudes.

Los hijos crecen entre el ser-como-todos y el ser-como-nadie.

Lo extraordinario, no es que seamos como los otros; lo maravilloso es que, en ocasiones, *podamos* ser diferentes a los otros.

En 1927 escribió Herman Hesse su obra más conocida, *El lobo estepario*. El protagonista de la novela, Harry, es considerado un "lobo estepario", un animal suelto en la soledad de las estepas, porque no es como los demás, porque no se divierte como los otros.

Éstas son sus reflexiones:

"No puedo comprender qué clase de placer y de alegría buscan los hombres en los hoteles y en los ferrocarriles totalmente llenos, en los cafés repletos de gente oyendo música fastidiosa y pesada... en las exposiciones universales, en las carreras, en los grandes lugares de deporte...

"Lo que para mí es delicia, suceso, elevación y éxtasis, eso no lo conoce ni lo busca el mundo; lo considera una locura.

"Si el mundo tiene razón, y si esta música en los cafés, estas diversiones en masa, tienen razón, en-

191

tonces soy yo el que no la tiene, entonces es verdad
que estoy loco, entonces soy efectivamente el lobo
estepario, la bestia descarriada en un mundo que le
es extraño e incomprensible…"

Hay hijos que crecen como lobos esteparios.

Hay hijos a quienes se les impide que crezcan como
lobos esteparios, y son más infelices aún.

*¿Por qué cuesta tanto transformar el amor a los hijos en el
respeto a los hijos?*

¿Y si dejáramos de darles?

De darles cosas, consejos, ideas, caminos, y los mejores
deseos para que vivan mejor.

Las historias se hilvanan unas con otras. Hay un cuento
de Carmen Gándara que se llama *La fiesta infantil.*

"Nada es más dramático, más conmovedor: todos
los niños están como disfrazados de niños buenos,
de niños ricos, de niños felices…"

En esas fiestas se aprende a disfrutar de la humana
compañía. Están los juegos. Y las buenas comidas. Y los
regalitos. También están los payasos, esos seres contrata-
dos para que los niños disfruten mucho y se rían y ex-
pandan toda su inocencia hacia el bien y la dicha.

"En ese instante apareció el payaso. Aunque yo estaba un poco lejos me hizo una impresión tremenda.
Era una cosa toda blanca con unos ojos como pozos y
una nariz enorme, roja, como un farol, movía los
brazos y reía como abriendo una boca terrible."

Es la impresión de un niño de cinco años. Luego crecerá y sabrá que un payaso no es lo que en su primera impresión creyó. Aprenderá a decodificar la presencia
bienhechora de ese personaje y se reirá aunque le cause
espanto.

Crecer en sociedad es aprender a ver lo que no se ve, sino lo que se debe ver.

Pero el niño ve lo único real que hay en la fiesta, los otros niños. Entre ellos, una niñita que hacía tiempo estaba llorando en un costado. Nadie le hacía caso a esa marginada. Los niñitos que lloran en una fiesta son desechables.

El protagonista, en cambio, se acerca a ella. Le tira del pelo para atraer su atención. No logra su cometido y vuelve a tirarle del pelo, más fuerte. La niñita llora más y más. El niño, para consolarla, le dice: "Tu mamá no va a venir, te vas a quedar sola con el payaso."

Ahí radica el mal, la maldad, que según el relator es "un sabor desconocido, penetrante, una delicia oscura que me llenaba la sangre, y al mismo tiempo un poder, un extraño vertiginoso poder que me habitaba".

Yo diría que a ese niñito y a sus compañeritos les hicieron mal con la fiesta, que debía ser fiesta del bien, y que esas programaciones desde temprana edad hacen explotar sentimientos agresivos.

Luego la agresión se irá reprimiendo y uno aprenderá a fumar, a beber whisky, pero la agresión en el fondo persistirá y vaya a saber qué tipo de manifestaciones asumirá, hacia afuera o hacia adentro.

Ejercicio de meditación:

¿Y si, en una especie de gran contrato social, todos los padres y las madres dejásemos de hacerles fiestas a nuestros respectivos hijos?

Habría que darles menos; menos cosas, menos palabras, menos ideas, menos fiestas, menos papel picado y cohetes, que a menudo les explotan en la mano.

IX. El aprendizaje de la felicidad

En busca de las vocaciones

Tu hijo no tiene una vocación. En todo caso tiene un abanico de vocaciones.

Tu hijo es pura posibilidad, más el azar, más sus encuentros, más la eventual emergencia de algún talento si se le da la ocasión de surgir, más la muerte de otros, si no encuentran circunstancias fértiles para su aparición.

Eso somos: talentos brotados, talentos desaparecidos, talentos ejercidos, talentos abandonados, talentos frenados, talentos por florecer. Vocación no es lo que uno quiere hacer.

Vocación es lo que puedo hacer y que, por tanto, si lo hago, me da placer, y me identifico con ello, y digo que soy yo el que quiere eso que está haciendo.

Los padres conocen las vocaciones de los hijos, simplemente porque viven con ellos y pueden observarlos a través de sus múltiples actitudes.

Los padres han de ser los primeros orientadores y *de facto* lo son.

¿Cómo puede un niño saber qué le gusta, es decir qué sabe, qué puede, qué le interesa hacer con gusto y placer? Encontrándose con los motivos existenciales que pongan a prueba las diversas apetencias del individuo, las ocasiones. La ocasión —dice la sabiduría popular— hace al ladrón; también hace al escultor, al músico, al trapecista, al pintor.

Yo soy yo y mis ocasiones, que son mis circunstancias, que no siempre busco, que no siempre elijo, pero cuando ocurren me ponen a prueba y me hacen ser ese yo que a veces yo mismo desconozco.

La vocación es una posibilidad.
Hay que darle la ocasión para que se ponga a prueba y se haga ver.

Jaime Balmes, pensador español muerto en 1848, escribía en su obra *El criterio*:

"Sería muy conveniente que se ofrecieran a la vista de los niños objetos muy variados, conduciéndolos a visitar establecimientos donde la disposición particular de cada uno pudiese ser excitada con la presencia de lo que mejor se la adapta. Entonces, dejándolos abandonados a sus instintos, un observador inteligente formaría, desde luego, diferentes clasificaciones..."

Sugería Balmes que tomemos a un grupo de niños de 10 a 12 años y les mostremos cómo funciona un reloj; habrá uno, tal vez, que por sus preguntas, por su mirada, demostrará una particular inclinación por el tema de la mecánica. Leamos, decía, ante una clase un trozo poético, y algunos ojos irradiarán luz al oír los versos de Garcilaso.

"Conocerás que su corazón late, que su mente se agita, que su fantasía se inflama, bajo una impresión que él mismo no comprende."

Nadie sabe qué quiere hasta que se encuentra ejerciendo este querer.
Descubrir la vocación. Es revelar. Quitarle el velo. Como con una foto: hasta que no se revela no se sabe en qué consiste.

En ese sentido, la vocación primero se ejerce y luego se conoce. Educar a los hijos es ayudarles a producir ese descubrimiento y a captar los distintos planos por los que transcurre la existencia: *lo que debemos hacer, lo que deseamos hacer, lo que podemos hacer*...

Conozco gente que ha postergado sus vocaciones, obligados por sus padres. Uno de ellos se hizo médico, y famoso, y excelente. No obstante cuando pudo se liberó de esa profesión que ejercía y retomó un gusto abandonado de su juventud, bajo la presión de sus padres: tocar el clarinete...

Las *vocaciones* suelen ser las *vacaciones* del alma liberada.

El mismo Ernesto Sabato quería pintar y *terminó* escribiendo; pero no terminó sino que, ahora, dada la ocasión, pinta.

Vocaciones, en plural, juntas o una detrás de otra. Connan Doyle, no quería escribir policiales; quería ser poeta... Sherlock Holmes lo inscribió en la historia de la literatura.

Nadie sabe qué quiere, realmente, profundamente...

Mi hijo menor, ahora de 19 años, descubrió una de sus vocaciones-capacidades a los 16 años gracias a cierto encuentro musical en el secundario. Accidente puro. Nadie lo quería. Ocurrió.

En casa no le prestábamos atención a sus estudios. Mientras no trajera problemas y pasara de año en año, iba bien.

Un día descubrió el tema ese de la música. Hoy estudia matemáticas y computación pero también piano, y me da gusto cuando desgrana notas de Bach o Mozart. Pero, confieso, no dejo de reprocharme por no haberlo descubierto cuando tenía 6 ó 7 años...

No, no son programables nuestros hijos, ni es posible abarcar todas las áreas de la sensibilidad, de la inteligencia, de la creatividad humana.

Hay ocasiones, hay ocurrencias, hay irrupciones. Sólo

esto: atenderlas, estar despiertos para cuando se den y entonces estimularlas, dejarlas crecer, en favor de los hijos y no en favor de los propios intereses que los padres consideran supremos en ese momento.

Volvamos a Balmes:

"Cuidado con trocar los papeles: de dos niños extraordinarios es muy posible que forméis dos hombres muy comunes. La golondrina y el águila se distinguen por la fuerza y la ligereza de sus alas, y sin embargo, jamás el águila podría volar a la manera de la golondrina, ni ésta imitar a la reina de las aves."

No hacer de las águilas golondrinas y de las golondrinas águilas. A menudo los padres ignoran esta advertencia, y hasta logran lanzar al mundo hijos exitosos en ese travestismo vocacional. Pero en el fondo de esas vidas germinará el resentimiento de las alas cortadas y eso no es bueno, no ayuda a la felicidad. Por suerte hay en los hijos potencias personales que suelen sobrevolar escollos.

El padre de Pascal quería que su hijo fuera un humanista, un religioso, y no un matemático, y por tanto eludía la enseñanza de la geometría; pero el pequeño Pascal creció para todo lo que su padre quería y *también* para la geometría.

Merece comentarse que una decisión de vocación puede alcanzar su objetivo, aunque el talento no esté a la vista.

Vocación es esfuerzo, trabajo.

Recordemos que Moisés es presentado en la Biblia como un hombre que tenía grandes dificultades para hablar; luego se transforma en el emisario de la palabra de Dios.

Semejante fue el caso de Demóstenes que ejercitaba la oratoria ante las olas del mar.

En el filme *Carrozas de Fuego* se cuenta de un joven

esmirriado y muy poco dotado físicamente que se propone dedicarse al deporte, a competencias de carrera, y alcanza los primeros puestos en esa especialidad, a base de trabajo, de voluntad férrea.

Amar a los hijos es no obstruirles los caminos. Amar es hacer algo por alguien. También, en ciertos casos, es la tremenda tarea de abstenerse y no hacer nada.

¿Qué serán tus hijos, águilas, golondrinas? Déjalos volar y sabrás.

El hijo que quería ser pájaro

Hay un poema que traza el diálogo entre un hijo y su madre. Transcurre en lejanas tierras de Ucrania, y su autor es Itzjak Manguer.

El poeta recuerda su infancia, sus ansias de vuelo y a su madre, sobreprotectora, piadosa, tierna, temblorosa por la salud del hijo. Era el implacable invierno, de nieve y tempestades.

> "En el camino hay un árbol
> que está inclinado,
> del árbol todos los pájaros
> se han volado
> ...
> Le digo a mi madre: oye
> no me obstruyas el camino,
> verás, madre, cómo de inmediato
> me volveré pájaro sobre el árbol
> y lo estaré acunando
> en invierno de consuelo
> con un bello canto..."

La madre le prohíbe que haga tal cosa. Ella llora y teme que en esos fríos el niño se congelará.

El chico insiste y le pide a la madre que no derrame más

lágrimas. La madre sabe que el hijo hará su voluntad. Entonces opta por abrigarlo. Lo envuelve con ropa de lana, echarpes, botas, una gorra...

"Levanto las alas. Me siento pesado.
Demasiada ropa demasiada
puso mamá al endeble pájaro.
Miro acongojado
en los ojos de mi madre:
el amor de ella impidió
al niño volar alto."

No es sencillo. La poesía es conmovedora, pero después de haberla transcrito la releo, la repienso y veo que no es tan sencillo: ni volar, ni ser madre...

Mis confesiones

Un afán de racionalidad planificadora nos persigue: cuidar a los chicos; preservar su libertad; velar por su educación.

La educación nos tiene obsesionados, neuróticos. Sobre todo nos preocupa la libertad, que se desarrollen sin compulsiones. A tal efecto pensamos en ellos, en los hijos: Cómo hacer para hacerlos libres. Para que no vivan reprimidos como lo fuimos nosotros, en nuestra infancia, o nuestros abuelos.

Recuerdo mi infancia. No se preocupaban por mí como yo me preocupo por mis hijos. Padres e hijos no hablaban demasiado entre sí; no éramos confidentes.

Yo tenía graves problemas con historia, geografía, botánica; y me los tragaba. A los compañeros no iba a contarles, me daba vergüenza. Tampoco a los maestros, y menos a mis padres. Nunca me preguntó alguien si tenía algún problema. Mientras estuviera sano, no me echaran de la escuela y no provocara algún desmán, me dejaban en paz.

Era libre en mi mundo interior, como los otros chicos. Jugábamos en la calle a lo que queríamos y sólo había que cuidarse —gritaba mamá— de que no nos pisaran los autos.

Nacieron mis hijos y comencé a ocuparme de ellos. Del mayor tengo una foto en la que está totalmente absorbido en la contemplación de un eje roto de un autito de plástico. Del menor guardamos almohadones de sillones con los que construía túneles, carpas, palacios, castillos, gritando, cantando, narrando la historia de su propio juego. Jugaban. Ambos enajenados. Solos, o con otros. Inventando, imaginando. Es decir, en plena libertad.

También, por supuesto, me dio el ataque de la compulsión educativa; no podía yo confiar en que fueran libres por cuenta propia. Yo debía hacerlos libres. Por su libertad y su crecimiento autónomo les compraba yo juguetes didácticos, elementos para armar, para estimular los sentidos, la sensibilidad, la abstracción.

Todo ese equipamiento psico-pedagógico-científico-tecnológico fue desechado. Ganaban las almohadas, los trapos para disfrazarse, los árboles tarzánicos del Parque Rivadavia.

También a eso me dediqué, a la crianza ecológica: mucho verde, mucho espacio al aire libre, mucha playa.

Al mayor le encantaba jugar a la pelota. Consideré que el menor no debía quedarse atrás: a toda costa lo llevaba al mismo parque, le hacía arcos, corríamos y, como era gordito, pensé que podíamos ligar la ciencia pedagógica, el deporte y la salud; en consecuencia le pateaba la pelota bien lejos y bien desviado para que corriera mucho y creciera saludable.

Hasta el día de hoy me lo reprocha; no me perdona esos excesos educativos montados sobre su infancia. No me perdona que haya querido hacerlo tan feliz.

Los obsesivos juegos didácticos

Queremos cubrir todos los espacios de la vida de nuestros hijos, por el bien de ellos, por supuesto, y en, nombre de la ciencia y de la didáctica.

Las escuelas, también ellas, quieren estar al día, ser modernas, e introducen todo aparato que luzca futurista. Sin vídeo, dicen, nadie puede llegar a ser buena persona. Los que no dominen computación serán los analfabetos del futuro.

Son los ídolos vigentes en la sociedad actual. Ésta nos autoriza toda la libertad; siempre y cuando no pongamos en duda sus postulados más corrientes.

Se ordena qué juego es bueno y cuál malo. Los cuentos han de ser desprovistos de todo dramatismo, limpios de competitividad, agresividad y, en cambio, llenos de afectividad; así dicen las normas vigentes.

Y los chicos no pueden ser abandonados a su arbitrio y que jueguen con cualquier cosa y para nada. De ninguna manera: han de ser guiados con juegos educativos, didácticos —insisto— para desarrollar la plenitud de su sensibilidad y, sobre todo, de su creatividad.

John Passmore, en su libro *Filosofía de la enseñanza*, hace ver cómo la sociedad, en su atención a los intereses del niño, amplía los planes de estudio e introduce en ellos elementos lúdicos y otras evasiones que antes estaban fuera de la escuela.

"Se volvieron parte de los planes de estudio primero la novela contemporánea, luego las películas y hoy día, en las escuelas más a la moda, la televisión y las tiras cómicas."

No hay refugio. Programas por todas partes. Objetivos, evaluaciones, metodologías. Motivar. Producir vivencias. Exceso de amor, exceso de preocupación, exceso de pedagogismo. La situación se torna asfixiante.

La sociedad parece buscar desesperadamente el paliativo de los efectos nocivos que la misma sociedad promueve en su sistema de vida que es violencia, contradicción ética, masificación, agresión, desestabilización, gregarización.

En tanto afán benefactor hay una suerte de totalitarismo absorbente en aras de la democracia, de la libertad de expresión, de que cada uno sea el mismo. Brotan las frases hechas:

* No a la información, sí a la formación.
* Que elijan solos.
* Aprender a aprender.
* Afecto, esperanza, amistad.

De tanto repetirlo uno termina creyendo que piensa lo que dice. Dice "aprender a pensar", pero repite, es decir, no piensa.

Nuestros hijos crecen en estos cercos de frases hechas, de pedagogía compulsiva pero estéril, de espacios personales totalmente cubiertos por los otros que los quieren hacer libres y felices. Y se hastían. Ya ni jugar pueden, es decir inventarse sus juegos, sus escobas de brujas, o de navegantes del espacio o de caballitos o de motocicletas.

La última gran noticia que acaba de arribar dice que los personajes bíblicos se incorporarán ahora a los jueguitos electrónicos; los niños se criarán más dulces y más religiosos cuando tengan que sacar a Moisés del Nilo en fracciones de segundo, o a Noé de la inundación, o a Ezequiel del valle de los muertos.

John Passmore se atreve a concluir:

"En su búsqueda de un juego sin contaminaciones, el niño se ve obligado a una violencia consumidora de drogas."

Me aterra.

Entiendo que "drogas" no alude exclusivamente a alucinógenos, sino a toda suerte de evasión brutal y autoagresiva.

Tema para meditar:
—*¿Cómo abstenerse del intervencionismo en la vida de los niños?*

Cuento para meditar:

"Había una vez una maestra vanguardista que decidió dar a sus alumnos dos horas semanales para su uso absolutamente libre, fuera de programa.

"Había en esa escuela una niñita, apocada y temerosa, que un día se acercó a la maestra y le preguntó:

"—Señorita: ¿también hoy tendremos que hacer lo que queremos?"

Déjalos ser

Los hijos se educan desde temprano en climas de mandato, de felicidad comprimida, en situaciones donde todos por igual disfrutan, gritan, ríen, arrojan globos, compran cosas, para llenar el tiempo vacío.

Un antiguo romance español cuenta del infante Arnaldos que navegando por los mares se cruza con una nave.

"Marinero que la guía
diciendo viene un cantar,
que la mar ponía en calma,
los vientos hace amainar…"

Arnaldos, ante tanta maravilla se dirige a ese extraño marinero y le pide:

"—Por tu vida, marinero
dígame ora ese cantar.
Respondióle el marinero
tal respuesta le fue a dar:
—Yo no digo mi canción
sino a quien conmigo va."

Hay que andar consigo y con el otro. Es canción, la del milagro, la de la intimidad comunicativa, sale de adentro y va adentro; no es producto envasado que se entrega a quien quiera consumirlo. Ni se produce, ni se vende.

Andar conmigo es la soledad creadora. "Quien conmigo va" es la situación vivencial que puede darse a partir de la soledad de cada uno. ¿Qué es una canción? Un juego, unas ganas de, una erupción de la voz interior pero que sólo puede ser saboreada por quien tenga oídos para ello.

El ocio del fin de semana no puede irrumpir y decir aquí estoy. Necesita, de algún modo, provenir como consecuencia de los días transcurridos.

No podemos decidir comunicarnos el sábado o el domingo, a tal hora de la tarde, y hacer felices a los hijos en el cine, con golosinas en el bolsillo.

No son felices. Se atontan. Aprenden a atontarse. Asimilada la rutina, creen que son felices o se manifiestan como tales para ser aplaudidos.

La vida es toda la vida; los días, todos los días. El miedo al vacío es consecuencia del miedo a la soledad.

Para ser padres es indispensable reabrir las compuertas de nuestra propia educación.

Habría que levantarse a la mañana y tomarse el pulso, para saber qué quiero hacer y qué podemos hacer. El pulso propio, y el pulso ajeno.

Dejar al otro. *Dejarse* a sí mismo.

Ante tanta paranoia educativa por miedo a no saber educar, ante tanta compulsión, la balanza se equilibra con el principio de abandono, de abstinencia:

Déjelo, no se persiga tanto, no lo persiga tanto; *déjelo* jugar con lo que juega cuando quiere jugar, *déjelo* estar solo, haciendo nada; *déjelo* juntar maderas informes en lugar de juntar chapitas que dan premio y que obligan a consumir gaseosas o galletitas.

Ése es el juego, *dejarlo.* Abandonar por un rato las riendas de la conducción y la planificación del bien.

Déjese, fluya, sienta sus propios latidos y regule la densidad de su espíritu, sin consultar a nadie, sin necesidad de contarle a nadie.

Defensa del palo de escoba

Un personaje de Saul Bellow dice:

"Los asuntos que me interesan en este momento ...no pertenecen al banco de datos de una computadora. Lo que me preocupa son los sentimientos y deseos, y la memoria emocional no tiene que ver con la construcción de cohetes o el producto bruto interno."

Así de sencillos, los asuntos más importantes, no aparecen en ningún catálogo y el avance de la informática no podrá plantearlos ni resolverlos, y mucho menos aportará algo al tema de la comunicación que es el tema de la vida, la memoria emocional.

El tema de la vida no está constituido por datos, sino por lo que hacemos con los datos. El movimiento de los astros, la rotación de la Tierra en torno del Sol, son datos. Una puesta de sol, sus connotaciones emotivas, no existen en la realidad de los datos; son de otra realidad, la más importante, la de uno mismo, interior.

Vivimos entre fantasías, símbolos, valores. La vida, sí, es una ilusión, y una canción, y una construcción totalmente mental, una ficción.

Divertirse, estar de pronto alegre y cantar, y sentirse bien es sentido. El parque de diversiones es el sentido transformado en cosa, y fracasa. A él huimos cuando tenemos miedo de quedarnos en casa sin cosas vivificantes y hay que emprender el pesado trabajo de buscar el sentido fuera de las cosas y hallarlo *dentro y entre nosotros*.

Un palo de escoba es el más hermoso de los caballos y el

que lo monta es el héroe, y el espacio son los cielos y la tierra, los prados y los duendes, y el alma que se expande le dice su canción a quien con ella va.

En tren de asociaciones surgen estos versos de Wordsworth:

> "¡El cielo nos circunda en nuestra infancia!
> Sombras de cárcel comienzan a ceñirse
> apenas el niño va creciendo..."

Es la cárcel que van imponiendo a los niños todos los que se preocupan por ellos, los que dicen amarlos, adorarlos, y por tanto procuran hacerles bien insertándolos en prisiones de proyectos, planes, producciones, a favor de un futuro promisorio y sin tristes soledades.

No obstante parece haber en el hombre recodos donde se ocultan chispas de aquel primer cielo, de aquel atisbo de inmortalidad:

> "Gracias al corazón mortal que nos da vida gracias a
> su ternura, alegrías y temores, la flor más humilde, al
> abrirse, puede brindarme pensamientos a menudo
> demasiado profundos para el llanto."

El amor a los hijos es indudable; falta el respeto, la confianza, la fe en un cosmos construido con un palo de escoba.

Hay que postergar las "sombras de cárcel". Un niño solo, gritándole al ángel que con él va, es dichoso.

Dejar de *hacerlos* felices. Dejar que *sean* felices.

¿Es mucho pedir?

El aprendizaje de la felicidad

Sucedió en una de las aulas universitarias, con un grupo de estudiantes de posgrado. El tema era la filosofía de la libertad. A tal efecto leíamos el primer capítulo de la *Metafísica* de Aristóteles, la suprema evaluación del conocimiento como signo prototípico de lo humano y de la libertad como condición del mismo.

Se cruzaron las ideas, los estudiantes comentaban, yo acotaba mis observaciones. Era, lo recuerdo, el comienzo de la primavera. Había en el grupo una joven de ojos grandes, llenos de asombro, y semblante ávido de luz.

Planteaba yo la perspectiva de la libertad como independencia. Sugería que la libertad como estado es imposible. Sólo cabe liberarse, de tiempo en tiempo, y muy raramente, y luego es menester aplicar esa libertad a algún objetivo. El estado, todos nuestros estados, son siempre de dependencia.

El mero estar en el mundo —seguía divagando— implica desde un comienzo el estar con otros.

Estamos, y estamos en dependencia, es decir en relación-con. Eso es depender. No como situación de esclavitud sino como co-existencia, tensión que va de mí al otro o a lo otro; tensión que viene de la presencia ajena. De ahí que solamente la gran soledad podría producir la gran libertad, eso que buscaban profetas y santos en el desierto. Aristóteles cita los versos de Simónides:

"Sólo Dios dispone de esa gloria."

La gloria del conocimiento absoluto es la gloria del ser absoluto. Absoluto significa desligado, independiente.

Nuestra gloria podría consistir en reconocer primero nuestra condición de dependientes, interdependientes, y a partir de ahí la capacidad de combinar surgentes libertades con corrientes responsabilidades.

Ser es depender. Porque ser es estar. Y estar es estar en relación con.

Estos básicos elementos o datos del existir deberían mamarse con la primera leche materna de la formación de los hijos.

No estás solo, ni cuando estás solo. Siempre hay otros, presentes o ausentes. Cuando te miras en el espejo otros te miran. Te miras con ojos de otro.

De eso hablaba yo y asociaba ideas en clase. La mentada alumna se sobresaltó y preguntó: "¿Y el amor? ¿No es libertad?"

Repliqué: "—¿Usted quiere libertad o felicidad? Tiene que elegir."

Primero fue el acerado silencio. Después fue el agitado coloquio de todos los participantes en clase.

Concluimos:

* que la felicidad es la interdependencia elegida y disfrutada;

* que la libertad no es un fin, es un medio;

* que no es un estado, es un pasaje, un arranque, un entusiasmo de salir de y llegar a;

* que cuando se llega a se vuelve a elegir, si se quiere ese objetivo; o también de él es menester evadirse, liberarse, hacia otro margen de existencia.

Vivimos eligiendo.

Dijo la alumna:

—¿Y enamorarse? ¿Y querer a alguien?

—Enamorarse no es lo mismo que querer a alguien. Elija usted.

Eligió "querer a alguien". Ése es un proyecto de vida, de coexistencia, de interdependencia. Enamorarse es una exaltación del yo mismo a través del otro, con otro, por otro, pero el pecho henchido es mío, totalmente mío. Querer a alguien es hacer algo con la libertad, premeditarla y ejercerla; amar la dependencia que ha de ser felicidad.

Amor es dependencia.

Una dependencia amorosa engendra felicidad. La felicidad persiste si, a su vez, promueve la libertad.

La libertad necesita un marco

Por miedo a la libertad y a privarnos de ella, no amamos, no nos dejamos amar, no nos amamos. Es una falacia, ya que el fin no es la libertad, sino la felicidad.

Tampoco la felicidad es un estado; también ella irrumpe, sucede, se esfuma, reaparece con distinto rostro. Hay que saber gestarla, hay que saber esperarla.

A diferencia de la vida biológica, vegetal y animal, no tiene estaciones, ni cumple períodos. Nace, como dice el *Cantar de los Cantares*, cuando quiere:

> "No despertéis el amor,
> hasta que él mismo
> quiera acontecer."

El pánico a la dependencia emana del caos de valores en que vivimos. Hombres, mujeres y niños atienden al llamado anónimo que previene contra la dependencia, contra el dominio eventual del otro, contra las cadenas que pueden surgir en una relación. Eso cría resentimiento. Ahí es donde "el otro es mi infierno".

El que cultiva miedos y resentimientos cosecha, sin lugar a dudas, infiernos.

Esa lucha por el dominio —y por el miedo a ser dominado— surca la vida de las parejas, de los padres y de los futuros padres que son los hijos. Vivimos entre dependencias y con movimientos de independencia.

Si la felicidad deja de ser, la dependencia es oprobio y denigración.

Si la felicidad es, la dependencia se llama amor e implica renuncias.

Vivir es un arte, no una ciencia. Como la pintura ha de combinar formas, líneas, colores, sombras, radiaciones. Es una composición. Dinámica. Como la pintura, aun la más rebelde, sigue apareciendo en un cuadro, en un marco, en categorías de limitaciones.

Dentro de ellas, la libertad.

Gracias a ellas, la libertad.

Sin ellas, no hay libertad; hay meramente confusión y nada.

Los hijos que crecen fuera de un marco, que como tal está lleno de afecto y por tanto también de normas que son marcaciones de dependencias, crecerán en una informe libertad y tendrán que apelar a otras dependencias que funcionen como drogas —las drogas llamadas drogas y otras que producen efectos de droga— para redimirse de esa angustia que es girar en el vacío sin nadie-que-te-espere, nadie-a-quien-esperar.

El psicólogo Jerome Bruner afirma:

"No dejemos que la escuela cultive únicamente la espontaneidad del individuo, porque los seres humanos necesitamos también la negociación del diálogo."

El diálogo es negociación.

Cuando era adolescente soñaba yo con los versos de Horacio:

"Feliz del hombre que lejos de los negocios..."

En latín, literalmente, los negocios son las ocupaciones, las que niegan el ocio, y el ocio es el tiempo libre para pensar.

Soñaba con una existencia apacible: pensar, leer, estudiar. Después aprendí que no estaba solo, que había otros y que pensar era vivir, y vivir es negociar, dialogar.

Ello implica, como todo juego serio, reglas, normas.

213

Espontaneidad y normas. El cuadro de Picasso y el marco del cuadro.

Un poema que es solamente un poema no es un poema. Lo decía un poeta, Paul Valéry.

Hubo en el siglo XX excesivo lirismo en materia pedagógica y en temas de liberación.

Hubo mucha mentira, y la consecuente decepción.

El cultivo de la espontaneidad no enmarcada dio a luz generaciones de chicos resentidos y poco felices a causa de su convivencia con padres llenos de miedo, y totalmente mal educados en lo relativo a esa libertad que pretendían otorgar y que, en realidad, regalaban porque no sabían qué hacer con ella.

El siglo avanza hacia su fin.

Comenzó siendo el tiempo de los niños, de los hijos.

Ahora es tiempo de los padres. El escenario está poblado en un solo sector, el de los jóvenes. El otro sector está despejado.

Que entren los padres.

Los hijos esperan.

Índice

Jaime Barylko

Relatos para
Padres e Hijos

Después del gran éxito de su reflexión sobre *el
miedo a los hijos*, Jaime Barylko busca rescatar las
raíces de nuestra cultura a través de estos *relatos
para padres e hijos* que intentan restaurar la comunicación entre las generaciones en torno a los
valores eternos del hombre

Envidia,
Sueños y Amor

Jaime Barylko continúa con esta obra la labor
iniciada en sus *Relatos para padres e hijos:* la
recreación para el lector de hoy de antiguas
historias de origen bíblico que forman parte del
acervo universal del corazón humano y sus
contradicciones.

David Viscott

Cómo arriesgar en la vida

Cambiar cualquier aspecto de la vida supone siempre un riesgo. ¿Cómo enfrentar los desafíos más cruciales sin sentir temor? Con profundo sentido común, el autor de *El lenguaje de los sentimientos* enseña a tomar mejores decisiones

Harold H. Bloomfield y Leonard Felder

Hacer las paces con los padres

Los conflictos sin resolver en la relación padre-hijo influyen fuertemente en la salud y felicidad cotidianas, no importa cuál sea nuestra edad. Una obra útil e inteligente sobre un problema humano generalizado.

OTROS TITULOS
en la misma colección

Peck, M Scott
La nueva psicología del amor
La nueva comunidad humana

Servan-Schreiber, Jean-Louis
Cómo dominar el tiempo
El retorno del coraje

Viscott, David
Cómo vivir en la intimidad
El lenguaje de los sentimientos
Te amo, sigamos juntos
El método Viscott

Westheimer, Ruth-
Kravetz, Nathan
La sexualidad en la adolescencia

Newman, M y Berkowitz, B.
Cómo mantenerse vivo y despierto
Cómo ser el mejor amigo de ti
mismo